BILDFOLGE – Farbbild-Reise durch HAMBURG
Contents – A Pictorial Tour through HAMBURG

HAMBURG · 德国汉堡

Eine Farbbild-Stadtrundfahrt mit Ausflugszielen
A pictorial sightseeing tour of the city and environs
包括郊游目的地在内的环城旅游手册

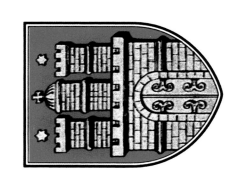

ZvP ZIETHEN-PANORAMA VERLAG

Hamburg ist eine Geisteshaltung

HAMBURG ist eine Stadt von unerschütterlicher Selbstsicherheit - sie macht den Kopf frei und den Horizont klar - das Erbe einer langen Freiheit. In Hamburg spürt man die Elbe, selbst wenn man sie nicht sieht. Sie liegt in der Luft. Jeder Spaziergang führt unweigerlich ans Wasser. Erst wenn man über die Kanalbrücken und Fleete den Fluss erreicht, hat man das Gefühl, am Ziel zu sein und die Stadt öffnet sich. Wasser ist in Hamburg überall. Ein Klischee natürlich, aber kein zufälliges. Hamburg gehört dem Wasser. Die Elbe bestimmt den Westen der Stadt, die zwei Binnenseen der Alster bestimmen das Zentrum. Das Wasser also. Man kommt daran gar nicht vorbei, wenn man in Hamburg aufwächst. Als sei die Stadt eine Insel. Und so hat sich Hamburg durch Jahrhunderte gefühlt.

Berlin blickt auf die sandigen Ebenen Brandenburgs, München auf die grünen Hügel des Alpenvorlands – aber Hamburg sieht nach dem Meer. Die Interessen der Stadt lagen auf der Nordsee, dem Atlantik, dem Mittelmeer, dem Pazifik. Nicht in Deutschland. Ende des 18. Jahrhunderts sagte ein Hamburger Kaufmann, er sei „der erste Hamburger Kaufmann, der aus Mocca den Kaffee, aus Baltimore den Tobak, aus Surinam den Kakao, aus Afrika den Gummi holte". Das war selbst für hamburgische Verhältnisse etwas Besonderes. Doch es beschreibt den Horizont des hamburgischen Denkens. Die Geschichte hilft, das Einzigartige Hamburgs zu begreifen: Im Mittelalter hat sich die Stadt aus der Lehenshoheit ihres zuständigen Grafen herausgemogelt – und verhielt sich danach bis zum Eintritt ins Deutsche Reich (1871) fast wie ein souveräner Staat. Immerhin 650 Jahre lang.

Hamburg – An attitude of mind

HAMBURG is a city with an unassailable self-confidence – the legacy of a long period of freedom and independence. It enlivens the mind and broadens the horizons. In Hamburg you sense the Elbe, even when you cannot see it. It wafts through the air. Every walk will lead you unerringly to the waterfront. Only when you reach the river via the bridges over its many canals and waterways do you feel that you have reached your destination, as the city unfolds before you. Water is ever present in Hamburg – a cliché perhaps, yet true enough. Hamburg is inextricably linked with water. The western rim of the city is bounded by the Elbe and the city centre by the two lakes of the Alster. You cannot escape the water if you grow up in Hamburg. It feels very much like an island, and that is how Hamburg has regarded itself throughout the centuries.

Berlin looks out onto the sandy Brandenburg plains, Munich up to the green hills of the lower Alpine slopes – but Hamburg looks out to sea. The commercial interests of the city lay in the North Sea, the Atlantic, the Mediterranean, and the Pacific, but not in Germany. At the end of the 18th century Caspar Voght boasted that he was "the first Hamburg merchant to bring coffee out of Mocca, tobacco out of Baltimore, cocoa out of Surinam, and rubber out of Africa." This was quite extraordinary even by Hamburg standards, yet it perfectly describes Hamburg's attitude and vision. The history of Hamburg might help to explain its unique position. The city managed to escape the shackles of the local nobility in the Middle Ages, and it maintained its independence as a virtual sovereign state for some 650 years, until it joined the German Empire in 1871.

汉堡是一种精神体现

汉堡是一个具有坚定自信心的城市，它使人们头脑清晰和意识敏明朗—这是长期自由的结晶。在汉堡，人们即使没有亲眼看到，也能感受到易北河的存在。易北河就仿佛在于汉堡的空气中。汉堡的每条散步道路必然会把您带到水边。只有当跨过运河上的桥梁和市内航道到易北河畔，人们才会有到达目的地的感觉，也只有这时您才会感到城市向您敞开了怀抱。汉堡到处是水，这是陈词滥调，但这样描述汉堡却不是偶然的。汉堡确实是水的世界。易北河确定了城西的风格，阿尔斯特湖(Alster)的两个内陆湖主导了汉堡城市中心的景色。不是吗，都和水有关。在汉堡生长的人根本就不会离开水。汉堡这一城市就好像是一座岛屿。这就是几百年来汉堡城的自我的感觉。

柏林展望的是沙地平原勃兰登堡，慕尼黑眺望的是阿尔卑斯山山前地带的绿色丘陵—而汉堡眺望的却是大海。汉堡的兴趣并不在德国本土，而在北海、在大西洋、在地中海、在太平洋。十八世纪末，卡斯帕·福格特(Caspar Voght)自我描述为汉堡商人中的第一个从莫卡把咖啡运到汉堡；从苏里南把咖啡运到汉堡；从巴尔的摩把烟草运到汉堡；从非洲把橡胶运到汉堡。这在当时的汉堡也具有不同寻常的意义。它描述了汉堡的思想境地。历史有助于人们了解独具一格的汉堡：中世纪，汉堡以不同寻常的手腕使其从管理它的伯爵封地主权中摆脱了出来—从那以后，直到一八七一年加入德意志帝国为止，汉堡几乎就像一个主权国家。而且这种状态一直保持了六百五十年。

Hanseatic outlook and history

It would be no exaggeration to say that the principal concern of the city of Hamburg was always that the steady and peaceful traffic of commerce should not be endangered or interrupted in the disputes and battles of the warlike Danes, Prussians, French, British and Russians around them. The people of Hamburg were merchants, not warriors. As they saw it, foreign policy always centred around money. When the Hanseatic league attacked Denmark, Hamburg did not join in the slaughter, but nevertheless paid dearly; when the emperor's army stood at the city gates during the 30 Years' War, the city avoided the inevitably hopeless battle and bought its way out of trouble; even when political haggling came to an end and Hamburg was left with little choice but to become a member of the German League, the city on the Elbe was keen to retain the unique role which it had carved out for itself over the centuries. Hamburg bravely promoted free trade, without openly defying the chancellor Bismarck or his customs controls. Honour and power, treaties and loyalty were all well and good, but money is what really counted. Perhaps not such a bad attitude, when looked at in the light of 20th century German politics and their disastrous consequences.

All of this is of course history, yet something of it still pervades the city's streets and houses, even though the visible fabric of the city has altered considerably following the Great Fire of 1842, the allied bombing in July 1943 and the reconstruction of the post-war years. The city's inhabitants are not for the most part indigenous; they have come from far and wide, many of them having streamed in as refugees from the east over the years, especially after the last war.

汉萨同盟的精神气质和历史

如果说，好战的民族，如丹麦人、普鲁士人、法国人、大不列颠人以及俄国人在汉堡周围征战厮杀，而汉堡城所关心的却只是和平的商业渠道不受威胁。这种说法也许并不过分。汉堡人是商人，而不是战士。从汉堡的角度看，外交政策始终和金钱密不可分。有一次，当汉萨同盟攻击丹麦时，汉堡虽不派一兵一卒，宁可付钱了事；在三十年战争时期，当皇帝的军队兵临城下时，汉堡也避免进行本就没有获胜希望的战争，又一次用金钱买得了自由；就是当见风使舵的政策已经过时，易北河畔的汉堡人还是不想放弃他们几百年来习以为常的角色。汉堡不顾俾斯麦首相的意图以及关税协定，勇敢地宣传自由贸易、荣誉和权利，合同和诚信尽管悦耳动听，但金钱是可贵的。如果反省二十世纪大德意志政策可悲的结果，也许这一观点并不错。

Hanseatenmentalität und Geschichte

Es ist vielleicht keine Übertreibung wenn man sagt, dass die Kämpfe, die kriegerische Völker um Hamburg herum ausfochten, die Dänen und Preußen, die Franzosen, Briten und Russen, die Stadt Hamburg nur insofern kümmerten, dass der friedliche Strom des Handels nicht gefährdet wird. Die Hamburger waren Händler, keine Krieger. Und aus hamburgischer Sicht hatte Außenpolitik immer mit Geld zu tun. Als die Hanse einmal Dänemark angriff, beteiligte sich Hamburg nicht an der Schlacht und zahlte lieber; als die kaiserliche Armee im 30jährigen Krieg vor den Toren der Stadt lag, vermied die Stadt den ohnehin aussichtslosen Kampf und kaufte sich frei; und selbst als die Zeit der Schaukelpolitik vorbei war und die Hamburger keine andere Wahl mehr hatten, als dem Deutschen Bund beizutreten, mochte man an der Elbe nicht von der besonderen Rolle lassen, an die man sich in Jahrhunderten gewöhnt hatte: Hamburg propagierte tapfer den Freihandel, ohne sich nach dem Kanzler Bismarck und den Zollabkommen zu richten. Ehre und Macht, Verträge und Loyalität sind gut und schön. Aber Geld kann man zählen. Vielleicht keine schlechte Sicht der Dinge, wenn man die traurigen Ergebnisse großdeutscher Politik im 20. Jahrhundert ansieht.

Das alles ist Geschichte. Aber es muss etwas davon hängen geblieben sein in den Straßen und Häusern der Stadt, obwohl sich das städtische Antlitz immer wieder stark verändert hat; durch den Großen Brand von 1842, den alliierten Bomben vom Juli 1943 und durch den Wiederaufbau der Nachkriegszeit. Die Bewohner der Stadt sind zum guten Teil gar nicht Alteingesessene und kamen von überall hierher; in früherer Zeit und nach dem letzten Krieg, als die Flüchtlinge aus dem Osten hereinströmten.

所有这一切都已成为历史。由于一八四二年的大火灾，一九四三年华盟军的发炸以及战后的重建，汉堡城市的面貌不断发生巨变。尽管如此，历史在汉堡市的道路和楼宇中还是留下了一些痕迹。汉堡市居民中很大一部分并非世代居住在此的本地人，而是从五湖四海迁来此地或是在早期或战后作为难民从东部蜂拥而来的。

Die Stadt und der Hafen

Selbstgewissheit und Stolz der Hamburger sind zweischneidige Eigenschaften, die im Übermaß auch schon mal unangenehm sein können. Mit spöttischem Kopfschütteln stellen Leute die nicht aus Hamburg stammen, bisweilen fest, wie sehr Hamburger ihre Stadt lieben und stolz sind auf deren Schönheit und Reichtum. Immerhin ist Hamburg die wohlhabendste Region Europas, die zweitgrößte Stadt der Republik, der drittgrößte Standort der Luft- und Weltraumindustrie der Welt und gleichzeitig eine erstaunliche grüne Stadt: Überall Parks, Wiesen und Gärten. So stolz die Stadt auf ihre englischen Parks ist, auf die prächtigen Fassaden, die die Alster säumen und auf die großartigen Ausblicke, die sich von den Elbhängen herab auf den Fluss öffnen, so sehr haben die Hamburger die ökonomische Basis ihres Wohlstands bislang im Hintergrund gehalten.

Die Stadt lebt von der Elbe. Die nach Teer und Schweiß stinkenden Docks haben Hamburg reich gemacht. Aber die Stadt hat sie verleugnet. Es ist kein Zufall, dass das neue Rathaus, das im 19. Jahrhundert gebaut wurde, mit seiner prunkvollen Fassade nach Norden, weg vom Strom zeigt. Das soll sich ändern. Zwischen den Elbbrücken und der Speicherstadt wird eine neue HafenCity gebaut. Und wo einst die Hafenarbeiter früh morgens dicht gedrängt vor den Türen der Kneipen ausharrten, in denen die Schauerleute für den kommenden Tag angeheuert wurden, wird man dann auf 155 Hektar Geschäfte, Wohnungen und Büros errichten. Auch Kreuzfahrtschiffe sollen hier einmal anlegen.

The city and port

The self assurance and pride of the people of Hamburg are a double-edged sword; if taken to extremes these qualities might actually be rather unappealing. Strangers to Hamburg often comment with some bemusement on the extent to which the people of Hamburg love their city and take pride in its beauty and its wealth. At any rate, Hamburg is the most prosperous region in Europe, the second largest city in the German republic, the third largest centre for the aeronautics and space industry in the world, and at the same time a surprisingly green and pleasant city, with parks, meadows and gardens everywhere. Proud though the city may be of its English-style parks, of the splendid facades of the buildings that line the Alster, and of the magnificent views from the banks of the Elbe to the river itself, the people of Hamburg have up till now remained surprisingly circumspect in terms of accounting for their economic prosperity.

The city lives off the Elbe. The docks, reeking of tar and sweat, have made Hamburg wealthy but the city has turned its back on them. It is no coincidence that the splendid facade of the new town hall, which was built in the 19th century, faces north away from the river, but that is all about to change. A new Harbour City is being built between the bridges of the Elbe and the docklands. Shops, apartments and offices will be built on 155 hectares of land where dockers once poured out in droves from the pubs and bars in the early hours of the morning and where dock labourers signed on for work each day. Cruise ships will also berth here.

城市与港口

汉堡人所具有的自我意识和优越感是一种有利有弊的特性。这种特性如果过于强烈也会出现不愉快的场面。有时，不是汉堡本地的人常常只能以嘲讽的神态揣着头确认，汉堡人是多么地热爱他们的城市，是多么地为汉堡的美丽和富裕而骄傲。汉堡毕竟是欧洲最富裕的地区，是德意志联邦共和国第二大城市，是世界第三大航空、航天工业基地，同时汉堡也是一个令人赞叹的绿色城市：汉堡到处都是公园、草地和花园。

汉堡为它的英国公园而骄傲，为园绕着阿尔斯特湖的富丽堂皇的面墙而自豪，从易北河畔的坡地上向下俯视，开阔的野中河流景观尽收眼底，这一秀美的景色也是汉堡引以为荣的地方，正因为汉堡是如此地地让汉堡人感到自豪和骄傲，所以迄今为止，他们很好地保持和维护了奠定他们富裕生活的经济基础。

汉堡靠着易北河而生存。汉堡是靠充斥着焦油臭和汗臭的码头发富裕起来的。汉堡又是汉堡不愿承认的事实。十九世纪建造的新市政厅把其富丽堂皇的面墙避开了河流，面朝北方，这并不是偶然的。这种状况应该改变。在易北河大桥建起一座新的港和仓库城(Speicherstadt)之间城将建起一座新的港口城市。从前这里清晨总有码头工人熙熙攘攘地聚集在酒馆门前，等待招工者前来挑选当天所需的码头装卸工。现在在这一百五十五公顷的土地上，将建起商店、住宅以及办公大楼。豪华远洋游轮也将在此停泊。

Weißer Häuserbau – teure Yachten

Die Architekten des weißen Hamburger Klassizismus erfanden eine reine, kalte Welt, in der es keine Schnörkel, keine handgestrichenen Ziegel, keinen Dreck gab. Nur Ordnung und Klarheit. Und so ist es nicht erstaunlich, dass die Hamburger Traditionshäuser noch heute eine Vorliebe für die weiße Moderne eines Richard Meier haben, der an der Alster die neue Zentrale der Reederei Rickmer Rickmers baute - eine strahlend weiße Villa und eine Hommage an die Aufbruchslust der Modernen, zu deren Lieblingsmotiven seit Le Corbusier das Schiff gehört. Die weiße Villa betritt man durch ein Foyer, in das eine bugartige Empore hineinragt. Dann fährt man mit dem Fahrstuhl, in dem ausländischen Besuchern als kleine Aufmerksamkeit ihre Nationalhymne vorgespielt wird, zum Oberdeck. Dort ist das Haus ganz Schiff: Man betritt eine Teakholzterrasse, aus der ein kleiner Balkon ragt – für den Reeder ein leicht erkennbares Zitat der Deckaufbauten eines Frachtschiffes. Hier oben steht man wie auf der Brücke eines Frachtschiffes, das sich in Harvestehude verfahren hat und nun durch die Alster zur Elbe will.

Kühl minimalistisch ist auch das Haus, das die Berliner Architekten Grüntuch/Ernst in Neumühlen direkt hinter dem Fischmarkt am Elbufer bauten. Es gehört in die Perlenkette der Häuser, in deren unteren Etagen die Cafés und Restaurants nachts über die Elbe glitzern. U-förmig öffnen sie sich zum Wasser und bilden so kleine, windgeschützte Plätze, an denen die Überseeschiffe vorbeiziehen. Dass Glas und Stahl einerseits und massiver Backstein andererseits kein Widerspruch sein muss,

White houses – expensive yachts

The architects of the white neo-classical Hamburg style invented a clean stark world, in which elaborate decoration, bricks and tiles, and dirt did not exist, only order and clarity. And so it is not surprising that traditional Hamburg houses still retain the white modern idiom of Richard Meier, a style much evident in the new headquarters of the Rickmer Rickmers shipbuilding company on the Alster – a sparkling white villa which pays homage to the Modernist movement and incorporates the ocean liner motif beloved of Le Corbusier and his followers. You enter the villa through a foyer with an impressive bow-like gallery. An elevator which plays national anthems to welcome overseas visitors takes you to the upper storey. Here the building truly resembles a ship: you step out onto a teak deck with a small balcony – instantly recognisable to a ship owner as a reference to the superstructure of a cargo ship. Up here you are on the captain's bridge of a ship which has got lost in Harvestehude and is now trying to make its way from the Alster to the Elbe.

The house built by the Berlin architectural firm of Grüntuch/Ernst in Neumühlen, immediately behind the fishmarket on the banks of the Elbe, is coolly minimalist too. It joins the other houses whose lower floors are given over to cafés and restaurants, glittering like a string of pearls along the Elbe. They form a U-shape, opening out onto the water yet sheltered from the wind, looking out onto the ocean liners gliding past them. In his redesign of the old municipal warehouse, Jan Störmer has proven that glass and steel can combine successfully with brickwork by insouciantly surmounting

白色的房屋建筑·犹如昂贵的豪华游艇

白色的汉堡古典主义建筑师们创造了一个清纯、冰凉的世界，这里没有不必要的修饰，没有手工涂饰的砖瓦，也没有污秽。这里只有井井有条的秩序以及简洁明亮的色彩。正因为如此，所以汉堡人现在传统的房屋方面还偏爱理查德·迈耶(Richard Meier)的白色现代主义流派。阿尔斯特湖畔瑞莫克·瑞莫克斯(Rickmer Rickmers)轮船公司新的中心就是理查德·迈耶设计建造的。这是一座耀眼的白色别墅，它是为自勒·柯布西耶(Le Corbusier)后，热衷于以船只为主题的现代主义流派所呈献的一份厚礼。进入这座白色别墅首先要通过一座门厅，在这座门厅中有一个船头形的楼厢高高耸起。然后人们可乘坐电梯到达上层。当外国来宾乘坐电梯时，电梯上播放的来宾们的国歌会引起他们的注意。别墅的上层完全是一艘船：人们进入一座柚木平台，平台上耸立着一座小小的阳台，对船主们来说，这显而易见就是一艘货船的甲板结构标志。站在上面，人们仿佛置身于一艘货船的驾驶台，这艘货船好象在哈菲施特胡德(Harvestehude)开错了方向，现在想要通过阿尔斯特湖驶入易北河。

柏林建筑师格鲁图赫与恩斯特(Grüntuch/Ernst)在易北河岸、汉堡鱼市场后面瑙埃缪仑(Neumühlen)设计建造的房屋也属于清新小巧的风格。这些小楼的底楼是咖啡店和饭店，它们就像易北河上的一串珍珠项链，在夜晚熠熠生辉。这些房屋是U型面水而建的，由此构成了一块块小小的挡风场地，时有远洋轮从这些场地前驶过。一面是轻灵的玻璃和钢结构，另一面是坚固的砖石结构，这并不一定是一种矛盾的组合，杨·斯托尔默(Jan

zeigt Jan Störmer mit seiner Neugestaltung des alten Stadtlagerhauses, dessen schwerem rotem Steinrumpf er unbekümmert eine gläserne Kiste aufgepflanzt hat; nun sieht das Haus aus wie eine behäbige alte Dame mit einer frivolen Designerfrisur. In den feinen Gegenden Eppendorf, Uhlenhorst und Winterhude lassen die Leute ihre Villen mit einem glänzenden Weiß streichen, das wie Bootslack in der Sonne glänzt, so dass die Häuser dort leuchtend an den Straßen liegen wie teure Yachten vertäut am Kai.

Bau des größten Airbus-Flugzeuges und dem Lighthouse-Turm

Ansonsten sind die spektakulärsten Bauten des neuen Hamburg keine Häuser für die Seefahrt, sondern für die Luftschifffahrt. An der Elbe baute das Architektenbüro GMP eine gigantomane Flugzeughalle. Hier wird Airbus das größte Flugzeug der Welt, den Airbus A 380, zusammenbauen. Die Halle steht im breiten Urstromtal gegenüber dem feinen Villenort Blankenese und ist weithin sichtbar: bis zu 31 Meter hoch, 750 Meter lang.

Nach bester hanseatischer Tradition wird in der HafenCity auf hohem Niveau geklotzt. So ist das „Lighthouse" – ein fast 300 Meter hoher Turm – von dem Architektenbüro BRT geplant, der bis 2008 fertiggestellt werden soll. In dessen obersten Etagen soll ein Luxushotel untergebracht werden. Damit erhält der Hamburger Hafen ein neues und in die Zukunft gerichtetes Wahrzeichen.

the massive redbrick bulk of the old building with a glass box, giving it very much the appearance of a stolid and portly elderly lady sporting a frivolous designer hairdo. In the smart neighbourhoods of Eppendorf, Uhlenhorst and Winderhude people paint their houses in brilliant white, so that they sparkle like yacht varnish in sunlight and create a streetscape resembling gleaming expensive yachts moored at the quayside.

The building of the largest Airbus airplane

The most spectacularly impressive building projects of the new Hamburg are connected not with seafaring ships but with airships. The architectural firm GMP has built a gigantic aircraft hangar on the Elbe, where Airbus Industries will assemble the largest aircraft in the world, the Airbus A380. The hangar lies opposite the smart villas of Blankenese and can be seen from much further afield, at some 31 metres in height and 750 metres in length.

In the best Hanseatic tradition, Harbour City will bring a new dimension to luxury living. The architectural firm BRT has designed the Lighthouse, a 300-metre high tower with a luxury hotel planned for the upper storeys. This spectacular building, scheduled for completion in 2008, will be a potent symbol of the Hamburg of the future.

Störmer)在重新设计塑造原来的城市仓体库房时就进行了这方面的尝试，他在原有粗重的红色石结构上未经处理就放上了一个巨大的玻璃箱体。现在，这座建筑物看上去就像一个肥胖的老妇不经意起地配上了一个新式的时髦发型。在华美的城区艾登道夫(Eppendorf)、乌伦佐特胡德(Uhlenhorst)以及温特胡德(Winterhude)的别墅上都被涂上耀眼的白色涂料，就像小艇上的油漆涂料，在阳光的下闪闪发光。这里道路旁群生辉的小楼就像昂贵的豪华游艇系泊在的头上。

最大空中客车飞机的制造以及灯塔的建造开启了未来

新汉堡最具发动效应的建筑工程不是为航海业所建的大楼，而是为宇宙飞船的航天业所建的大楼。GMP建筑事务所在易北河畔设计建造了一个巨大的飞机库。世界上最大的飞机空中客车A380就将在此组装。这一飞机库建于华美的别墅区—白沙嘴(Blankenese)的对面，最早是河谷的宽阔场地上。这座高达三十一米，长达七百五十米的飞机库很远就可看见。

按照汉撒同盟的最佳传统，新的港口城将是以人为本、高水平设计规划的。一座由BRT建筑事务所设计规划的，将于二零零八年竣工交付使用的"灯塔"将是一座高约三百米的塔楼。这一建筑将其顶层塔楼为豪华宾馆。这座港塔将有一个新的，面向未来的标志。

Der modernste Container-Terminal

In dieser Landschaft aus Wasser, Beton und Stahl wirkt vieles gewaltig. Wer von Süden nach Hamburg kommt, trifft zuerst auf den Hafen und beginnt sich über diese Welt zu wundern, in der physikalische Gesetze aufgehoben zu sein scheinen: Gewichtige Fracht von Hausgröße baumelt an viel zu feinen Fäden. Kräne zeigen sich zart, fast zerbrechlich, wenn der kräftige Westwind sie wiegt. Ein Tanker überragt einen Terminal wie ein Wohnblock den Bungalow, ein zweiter läuft gerade auf Reede. Massig und mächtig schiebt er sich mit gewaltigen Bugwellen durchs Wasser, als wollte er die Elbe aus ihrem Bett schmeißen. 24 Stunden ist dort Betrieb – im Naturlicht des Tagwerks wie im Flutlicht der Nachtarbeit. Bei jedem Besuch verändert sich dieses Panorama, liegen andere Schiffe im Hafen, sind die Containerstapel umgeschichtet, die Warenlager verschoben. Nur die Spitzen der Hamburger Hauptkirchen prägen wie immer die Silhouette der Stadt. Die Reise durch den Hamburger Hafen gleicht einem Gang durch eine Fantasielandschaft. Mit jedem Schiff entflammt die Sehnsucht nach Ferne und fremden Welten, auf jedem Kai finden sich Spuren möglicher Träume – verschlossene Container, zugenagelte Kisten, zugenähte Säcke mit geheimnisvollem Inhalt aus allen Winkeln der Erde.

Direkt neben dem Schüttguthafen Hansaport leuchtet es rot und blau – der modernste Containerterminal der Welt, die künstlich perfekte Warenwelt des CTA (Container-Terminal Altenwerder). Das letzte Stück Natur hier ist das Wasser, alles andere ein konstruiertes Wunder an Effizienz.

The most modern container terminal

There is much to impress in this landscape of water, concrete and steel. When you approach Hamburg from the south and reach the port, you will no doubt marvel at a world in which the law of physics appears to have been turned on its head: heavy cargo as high as a house seems to dangle from fine threads, seemingly too flimsy to bear the weight. Cranes appear almost fragile and likely to break when the strong westerlies blow. One tanker towers over the terminal like an apartment block over a bungalow, while another tanker, massive and powerful, pushes out to sea with an enormous bow-wave, tossing the water aside as if tossing the Elbe out of its bed. The port is busy round the clock, whether in daylight or under the arc of floodlights at night. The scene changes constantly: at each visit you will find different ships in the harbour, containers restacked, and warehouse stock shifted. The only constants are the spires of Hamburg's principal churches, standing as ever in proud silhouette against the city skyline. A trip round the port of Hamburg is like a voyage through fantasyland. Every ship is redolent of distant and foreign lands, every quay holds the stuff of dreams – containers crates and sacks, all holding mysterious cargoes from every corner of the globe.

Immediately next to the Hansaport grain elevators, red and blue lights illuminate the most modern container terminal in the world devoted to the global movement of goods, the CTA (Container Terminal Altenwerder). The only thing here that has been crafted by nature is the water – everything else is a man-made marvel of efficiency.

世界上最现代化的集装箱终端站

显得恢宏巨大。谁要是从南面来到汉堡，迎面而见的首先就是汉堡港，并会为一个物理定律好象不再适用的世界而由衷惊叹：房屋大小的沉重货物被悬挂在相对来说过细的线绳上摇曳晃去，如果强劲的两风吹来，起重机就显得过于纤细，好像快要断裂似的。一艘油轮高耸在集装箱终端站就像住宅高楼立于平房，而另一艘波得好像要把易北河从河床抛甩出去。

这里二十四小时都是车水马龙一人们白天在日光下作业，晚上在强力照明设备下忙碌。每一次来访，港口的全景都在发生变化：或是有另一些船只停泊在港口，或是堆垛在一起的集装箱正在被重新整理，也可能货栈正在被移动。只有汉堡总教堂(Hauptkirchen)的尖顶始终影印在城市的剪影中。穿越汉堡港的旅行同时也是一次梦幻景观的环游。与每艘船的相遇都会点燃人们对远方的思念以及对陌生世界的向往。每个码头上都有可能找到梦幻的痕迹一无论是封闭的集装箱，钉住的箱子还是封口的袋子都包含着来自地球各个角落、充满神秘感的内容。

紧靠散装货物港口一汉萨港的边上，红灯和蓝灯闪烁不停一这里是世界上最现代化的装箱终端站—CTA（阿尔滕瓦尔德集装箱终端站），一个艺术上完美无缺的货物世界。在这里最后的一个自然产物就只有水了，所有其它都是效率产生的奇观。

Einst war es immer etwas ganz Besonderes, wenn die großen Segler aus allen Herrenländern nach Hamburg mit den kostbaren Waren, wie Seide, Kaffee, Tee, Tabak und Gewürzen kamen. So konnten die Meisten nur erahnen wie es in der Ferne ausschaut, denn den Wenigsten war das Reisen möglich. Heute kann man schnell und überall hin reisen. Doch die Schiffsreise hat sich als die eleganteste und luxuriöseste Art zu Reisen entwickelt. Riesige Hotelschiffe legen im Hamburger Hafen an und fahren zu den Traumzielen all derer, die das Fernweh gepackt hat.

FORTSETZUNG DER EINLEITUNG

Ein Bummel durch St. Pauli

Vom Hafen zurück in die Stadt ist es nur ein Sprung ins Vergnügungsviertel der Reeperbahn, früher das Ziel der Seeleute die an Land gingen, heute ein Vergnügungseldorado für die Stadtbevölkerung und dem Fremdenverkehr. Die S-Bahn-Haltestelle Reeperbahn ist der Ausgangspunkt ins Vergnügungsviertel St. Pauli. Und spätestens hier treten sie auf, die Sause-machen-Schwestern aus den Tiefen der Republik. Frisch frisiert, adrett bis démodé gekleidet und mit jenem gewissen Kichern, das die Erwartung von ein bisschen Sünde auslöst. Denn zu jedem Hamburger Wochenendpauschalprogramm gehört nun mal eine hübsche Frivolität, erhältlich beim Besuch von Kleinkunstbühnen wie das Schmidt-Theater und dem Travestietheater Pulverfass. Hier findet eine regelrechte Kulturrenaissance statt, die sich auch in den beliebten Musical-Häusern niederschlägt. Das macht den Reiz der Reeperbahn aus: der permanente Wechsel von Licht und Schatten, die Nähe der Extreme, jegliche Ignoranz gegenüber Standards. Was auch nicht ganz stimmt, denn im Café Kneese lässt sich neuerdings wieder famos im Dreivierteltakt schwofen – wo die Männer dicke Zigarren kaufen können und wo die Damen die Männer zum Tanz auffordern.

At one time the arrival of the big sailing ships from every corner of the empire, with their precious cargoes of silk, tea, coffee, tobacco and spices, was something very special. Most people could only imagine what it was like abroad, as only a small proportion of the population had the means to travel. Nowadays we are able to travel everywhere with ease and speed. Yet travelling by ship has become the most elegant and luxurious way to travel. Enormous cruise ships lie in Hamburg harbour and take those with a yearning for adventure to their dream destinations.

END OF INTRODUCTION

A stroll around St Pauli

It is only a short hop back from the port to the city, to the entertainment district of the Reeperbahn, at one time the destination of seafarers heading ashore, now an entertainment mecca for city dwellers and foreign visitors alike. The Reeperbahn stop on the S-Bahn is the starting point for a night out in St Pauli. Here you will find people from every walk of life and every corner of the republic: street-wise youths and girls out on the razzle, newly coiffed, from smartly dressed to virtually undressed, giggling mischievously in anticipation of a bit of sinful pleasure. No Hamburg weekend break would be complete without a visit to some of the more risqué entertainments and cabarets of the Schmidt Theater and the Travestietheater Pulverfass.

A real cultural renaissance is taking place here, finding new expression in the much-loved old music halls. The enduring appeal of the Reeperbahn lies in the constant interplay of light and shadow, the excesses and extremes, the flouting of rules and conventions. But some things never change – in the Café Kneese men can still buy fat cigars and women invite the men to dance in three-quarter time to the rhythms of yesteryear.

以前，如果贵族领地的大型帆船载着昂贵的物品，如：丝绸、咖啡、茶、烟草和调料来到汉堡，这总是一件极为特殊的事。因为那时只有极少数人有机会去旅行，所以大部分人对远方的世界只能猜测。今天，人们可以很快到各处旅行。乘船旅行已发展成最时髦、最豪华的旅行方式。巨大的旅馆式游轮停泊在汉堡港，并把向往异国他乡的旅客送往他们的梦想目标。

引言续篇

漫步在圣保利St. Pauli)

从港口回到城市中，几步就可到雷佩尔尔大街(Reeperbahn)的娱乐消遣区，这是早先海员上岸的目标。现在是这汉堡居民和旅游者娱乐消遣的乐园。轻轨铁路雷佩尔尔大街站(Reeperbahn)是进入圣保利娱乐区的起点。至少在这里，斯卡特牌友见兄妹俩来自各地的妇女姐妹们可快快乐乐地疯狂及所发出的那种肆意深长的嘻嘻笑声，所有这些一些罪囊的欲望。现在，去观看小艺术舞台加施密特戏院Schmidt-Theater)和插着羽翼"火药桶"(Pulverfass)时所得到的那种令人愉快的轻薄已成了每个汉堡人周末总体活动中的一个项目。这里进行着一场真正的文艺复兴。它其至表现在近乎极端的表演以及违反规则的各种无知和愚昧，所有这些使雷佩尔尔大街具有很大的魅力。与这种情况不相符的是克尼茨咖啡馆Café Kneese)，这里最近又重新跳起了四分之三节拍的交谊舞——在此男人可以购买粗租粗的雪茄烟，女士可以向男子邀舞。

Die Überseebrücke am Baumwall ist Liegeplatz für große Kreuzfahrtschiffe, für Windjammer oder Marineeinheiten. An ihrer Rückseite können im City-Sporthafen die Skipper kleinerer Segelyachten anlegen und die Stadt besichtigen. Hier ankert auch seit 1986 der Museumsfrachter „Cap San Diego". Der „Weiße Schwan des Südatlantiks" wurde 1961 auf der Deutschen Werft in Hamburg gebaut. Er fuhr nur 25 Jahre im Stückgutverkehr, bis zur Einführung des Containertransports. Besonders interessant ist die Besichtigung von Kapitänsbrücke und Maschinenraum.

Large cruise ships, windjammers and the ships of the German navy are all berthed beside the Überseebrücke. Skippers of smaller yachts anchor their craft in the Hamburg marina on the far side of the bridge. The „Cap San Diego", has been moored here since 1986. This freighter, dubbed „the white swan of the Southatlantic", was built in Hamburg in 1961 and was in service for only 25 years before container ships were introduced. The „Cap San Diego" is now a tourist attraction. Of special interest to visitors are the captain's bridge and the engine room.

建于汉堡 树城(Baumwall)的远洋 杯 是 大型豪华游轮、大帆船或海军舰艇的锚地。其背面的市中心水上运动港口(City-Sporthafen)可停泊小帆船和游艇。这样游客就 可 任此 下船 参观市容。从一九八六年起，"圣地亚哥角(Cap San Diego)" 号货船博物馆 也停泊 在此。 一九六一年，这一被称为 "南大西洋的白天鹅" 的船 只 建于汉堡的德国船坞，它 在被 伴 托运的货运交通中 仅仅 营运了 二十五年，集装箱运输的引入结束了 它的营运 生涯。 令人特别感兴趣的是参观航长驾驶台 和机房。

HAMBURG, City - Blick vom Hafen / city - view from the harbour / 汉堡，市中心，从港口展望

Der Trubel des Tages weicht der lebhaften Abendbeleuchtung und taucht die Stadt in einen goldenen Schein der Elektrizität, was sogar einer großen Stadt wie Hamburg zu einem romantischen Flair verhilft. Dies lässt sich noch unterstreichen, indem man über die Wasserwege Hamburgs eine unvergessliche Nachtfahrt unternimmt. Die Alsterschifffahrt bietet eine breite Palette an Ausflugs-, Feier- und Touristikfahrten zwischen dem Jungfernstieg, Harvestehude, den Alster-Kanälen und, wenn die Tide günstig steht, bis in die kunstvoll beleuchtete Speicherstadt hinein.

The daytime hustle and bustle give way to the bright lights of evening which bathe the city in a golden electric glow and give it a distinctly romantic feel. A night-time trip along Hamburg's waterways is an unforgettably romantic experience. There are plenty of short excursions, party trips and tourist outings available with the Alster cruise line which will take you from the Jungfernstieg, to Harvestehude, to the Alster canals and, tide permitting, to elaborately lit Speicherstadt.

夜晚的灯火驱走了白天的喧嚣，城市沉浸在金色的电灯光下，金色的灯光甚至能使汉堡这样一座大城市笼罩在一种浪漫的氛围中。如果人们乘船通过汉堡的水路进行一次难以忘怀的夜游，这种感受会更加强烈。阿尔斯特游船为位处女堤Jungfernstieg)、哈菲施特胡德(Harvestehude)以及阿尔斯特运河(Alster-Kanälen)之间进行远足，庆典以及旅游提供了范围广博的服务项目，潮汐有利于行船时，人们甚至可以乘坐阿尔斯特游船到达被灯光映照得宛如艺术品般漂亮的仓库城。

Seit der Aufhebung des nicht mehr benötigten Freihafens wird die Speicherstadt, in die sich langsam aber stetig entwickelnde neue HafenCity, eingebunden. Der Öffentlichkeit zugänglich gemacht, bildet sich hier eine neue Welt von Wohnen, Leben und Arbeiten. Attraktiver Wohnraum direkt am Wasser, und nur ein paar Meter vom Zentrum entfernt – was für eine Lebensqualität! Die nun liebevoll restaurierten neugotischen Backsteinfassaden der Speicherstadt vermitteln immer noch den Geist der großen hanseatischen Zeit, wo die Speicher des Freihafens noch randvoll waren.

Following the closure of the redundant freeport, Speicherstadt is being slowly but surely integrated into the new HarbourCity. With the area now being opened up for development, a whole new environment is being created for living, leisure and work. Attractive living space directly on the water, and only a few metres away from the city centre – that's quality of life for you! The lovingly restored buildings of Speicherstadt with their neo-Gothic brickwork facades recall the city's Hanseatic heyday, when the warehouses of the freeport were still stacked to the rafters with goods.

自从取消了不再需要的自由港后，仓库城与以缓慢但
速度不断发展的新港口城连接在一起。仓库城对社会
开放后，这里形成了一个新的居住、生活和工作的世
界。迷人的居住空间紧靠水边，离市中心又仅咫尺之
遥—这是何等的生活质量！独一无二的仓库城现在经
过精心整修恢复了新哥特式风格。这种建筑风格以其
红砖石面墙向人展示的是大汉萨时期的精神风貌，当年
这里到处都是自由港口的仓库。

14 HAMBURG, Hafen / Landungsbrücken mit Blick zum „Michel" – der St. Michaelis – Kirche / Harbour and pier / 港口／靠岸栈桥，展望"米歇尔"——圣

Eigentlich sind die Landungsbrücken touristi-sches Domizil: Hafenrundfahrten, Fischbrötchen und Souvenirs. Doch den Hamburger zieht es auch immer wieder hier hin, in diese Betrieb-samkeit, und das nicht nur zum Hafenge-burtstag am 7. Mai. Beim Flanieren hält man Ausschau nach den großen „Pötten", die hier vor Anker gehen und bekommt Lust, diese Kolosse bei einer Rundfahrt mit einer kleinen Barkasse, Fähre oder dem Ausflugsdampfer auch mal aus der Nähe zu betrachten. Eindrucksvoll sind die gigantischen Ausmaße der Schiffe und der Docks.

Nowadays the quaysides and piers are largely the domain of tourists, with trips round the harbour, crusty rolls filled with fish, and souvenirs. But even locals are still attracted to the bustle, and not only for the port's annual birthday celebra-tions on 7th May. A stroll round will enable you to feast your eyes on the ocean-going mammoths anchored here, and may tempt you to get a clo-ser look by taking a trip round the harbour on a motorlaunch, ferry or pleasure steamer. The massive ships and docks are an impressive sight.

靠岸栈桥本是旅游胜地：环港游览、夹鱼小面包以及纪念品。但汉堡人也不断光临这一繁华地段，前且不只是每年五月七日港口建成纪念日才来此地。在闲逛过程人们期待地守望着经过此处前去描泊的大"船"，兴致所至，人们也会乘华港内小汽艇、渡船或郊游蒸汽轮在环游时就近欣赏和观察这类庞然大物。这类船舶和港口的庞大会给人留下深刻的印象。

Der Museums-Windjammer „Rickmer Rickmers" hat seit 1987 am Hafentor festgemacht, das die große gleichnamige Hamburger Reederei 1896 in Bremerhaven baute. Das Vollschiff war im Salpeterhandel unterwegs zwischen Hamburg und Chile. Im Ersten Weltkrieg beschlagnahmt, fuhr es bis 1962 u. a. als Segelschulschiff, unter portugiesischer Flagge. Der Verein „Windjammer für Hamburg" rettete es vor dem Verschrotten und sorgte für die Restaurierung. Nun liegt das Segelschiff an Hamburgs schönster Stätte, zur Besichtigung für alle Landratten mit Fernweh.

The windjammer "Rickmer Rickmers" has been anchored at the harbour entrance since 1987. This three-masted barque was built in Bremerhaven in 1896 and plied between Hamburg and Chile in the saltpetre trade. Seized in the 1914-18 war, until 1962 she sailed under the Portuguese flag, occasionally in use as a training ship. The "Windjammer für Hamburg" society saved her from the breaker's yard and organized her restoration. Now the "Rickmer Rickmers" takes pride of place in the harbour, open to view for all nostalgic armchair adventurers.

"瑞莫克·瑞莫克斯" 博物馆帆船从一九八七年起被固定在港口大门。这艘船是汉堡瑞莫克·瑞莫克斯·瑞莫克斯海运公司一八九六年在不米梅港建造的。这艘船曾满载货物往返于汉堡和智利之间从事硝石贸易。第一次世界大战时,该船被征用,直到一九六二年它都悬挂着葡萄牙国旗作为帆船教练船等等游弋任海上。"汉堡帆船协会"在这艘帆船被作为废料处理前将它抢救了出来,并对其进行了整修。现在,这艘帆船停泊在汉堡最美的地方供所有居住在陆地、向往异国他乡,但没有经讨海上旅行的旱鸭子参观。

16 HAMBURG, Gallionsfiguren im Altonaer Museum / Ships' figureheads in the Altonaer Museum / 汉堡，阿尔托那博物馆的船头雕塑

Das Altonaer Museum bietet als norddeutsches Landesmuseum eine Ausstellung zur Geschichte der Seefahrt, wie auch zu Land und Leuten. Nachbildungen historischer Schiffsmodelle, sehenswerte Gallionsfiguren und sogar ein ganzer Kaufmannsladen, wie eine außergewöhnliche Spielzeugsammlung, setzen den Besucher in die Zeit der Entdeckungen zurück. Vom Bug aus sollte die Gallionsfigur das Schiff beschützen und den Weg weisen. Sie verkörperte die Seele des Schiffes, oder sollte Angreifer einschüchtern und diente nicht zuletzt als Zierde.

The history of seafaring, its lands and its people, is recounted in the exhibits at the Altonaer Museum, the provincial museum of northern Germany. Faithful replicas of old ships,impressive ships' figureheads and even a complete merchant's shop, almost like an extraordinary collection of toys, take the visitor back to the days of those voyages of discovery. Figureheads on the bows of ships were thought to protect ships and lead them to their destinations. They were said to embody the ship's spirit, and were intendedto intimidate attackers as well as decorate the vessel.

阿尔托纳博物馆作为北德地区博物馆展出航海史，同时介绍北德地区风土人情。馆中有仿制的历史船模、值得一看的是船头雕塑，甚至整成商店，如同一个不同凡响的玩具收藏展示把来完带回了寻幽探胜的探险时代。船头响应应从船头开始对整条航进行保护并指明航向。它体现了船的精神或者令前来侵袭者那颗心惊，同时，船头雕塑还有装饰作用。

Gemälde der Gefangennahme des Piraten Störtebeker im Hamburger Hafen / capture of the pirate Störtebeker im Hamburger Hafen / 汉堡港海盗斯多特贝格被捕的绘画 17

Viele Orte könnten der Geburtsort Klaus Störtebekers sein, doch Hamburg war der Ort, der das Ende seiner Piraterie besiegelte. Die Piratenmannschaft nannte man die „Vitalienbrüder" oder Likedeeler (Gleichteiler), weil sie die unermessliche Beute zu gleichen Teilen aufteilten. Man sagt, dass sie auch die Armen damit unterstützten. Durch offizielle Kaperbriefe anfangs ermächtigt auf eigene Gefahr feindliche Handelsschiffe zu entern, wendeten sie sich später gegen die Hanse. Störtebekers Beutzüge fanden für ihn und seine Mannen am 21. 10. 1401 ein jähes Ende am Grasbrook.

Klaus Störtebeker might have been born anywhere, but it was Hamburg that sealed his fate and brought an end to his piracy. The local name given to the band of pirates was „Vitalienbrüder" or "Likedeeler", terms which refer to their custom of dividing their booty into equal portions. It is said that they even gave some of it to the poor. Originally empowered by privateers' charter to board enemy merchant ships at their own peril, they later turned against the Hanseatic authorities. Störtebeker's misadventures led him and his band of men to their sorry end on 21st October 1401.

许多地方都可能是克劳斯·斯特贝格。斯特贝格Klaus Störtebekers)的出生地，但汉堡确是海盗斯多特贝格贝格最终被戕胜的地方。人们把这支海盗船队称为"粮食兄弟会"或者"Likedeeler"（均平富者），因为他们把所动抢到的，数不胜数的财物都平均分配。传说他们也用这种方式接济穷人。开始时，他们凭借正式的汝收敌方商船的特许证自己承担风险强行登占敌方的商船，后转为与汉萨同盟作对。斯多特贝格及其手下的海盗抢劫生涯突然中止于一二四零一年十月二十一日。这一天这伙海盗在汉堡的格拉斯布洛克(Grasbrook)被正法。

Hamburg ist eine Stadt der Superlative, hier wird geklotzt, nicht gekleckert. 2453 Brücken schwingen sich über die Gewässer von Hamburg - mehr als in Amsterdam und Venedig zusammen. Mit grazilem Schwung und einer bezaubernden Leichtigkeit spannt sich die Köhlbrandbrücke über die Container-Berge und zeigt sich als Wahrzeichen des Hafens. Schwimmkräne, Docks und Frachter sind Tag und Nacht, das ganze Jahr über, in Bewegung um ca. 6 Mio. Container mit Hilfe einer atemberaubenden Hightech-Logistik umzuschlagen.

Hamburg is a city of superlatives: things are done properly on a grand scale; there are no half-measures here.No fewer than 2,453 bridges span Hamburg's waterways, more than Amsterdam and Venice combined. The Köhlbrand Bridge which towers elegantly and gracefully over the mountain of containers is very much the symbol of the port. The floating cranes, the docks and the freighters are in motion day and night, handling some 6 million containers a year with the help of breathtakingly advanced high-tech logistics.

汉堡是一座拥有许多顶级之处的城市。这里的一切都是不受细节所累，以大手笔铸就的。汉堡的水域上拥有两千四百五十三座桥梁。比阿姆斯特丹和威尼斯的桥梁总和还要多。柯尔布兰特桥以优美的弧线，迷人的轻灵特能跨越在堆积如山的集装箱上，它成了港口的一道亮丽标志。凭借惊人的高科技物流保障，水上起重机，码头以及货船一年四季往往来来不停地紧张忙碌，大约六百万集装箱任运作周转。

Hier ist sonntags immer was los – allerdings nur für Frühaufsteher oder für Freunde der Nacht, die ihr Bett noch nicht finden konnten. Unnachahmlich ist die Art der Marktschreier, eine einmalige Atmosphäre! – Als zentraler Verkehrsknotenpunkt waren die St.-Pauli-Landungsbrücken von Anfang des 20. Jh. an eine wichtige Verbindung der Hafenarbeiter von ihren Wohnstätten zur Arbeit. Durch den 426,5 m langen alten Elbtunnel sollte der Weg für die Arbeiter der großen Werften, wie Blohm & Voss, erleichtern werden.

Sundays are always a hive of activity here, but you either have to get up at the crack of dawn or make sure you never got into your bed at all if you don't want to miss the action. The inimitable shouts of the market traders create a lively and unforgettable atmosphere. The St Pauli piers were at the central crossroads of harbour traffic at the start of the 20th century, bringing dockworkers from home to work. The 426.5-metre long Elbtunnel brought workers to the largest shipyards like Blohm and Voss.

这里星期天总不会寂寞——当然这只是对早起者或者喜欢熬夜、到凌晨还无睡意者而言的。市场上的叫卖声是无法模拟的。这是一种独特的氛围！圣保利靠岸栈桥作为中央交通枢纽从二十世纪初起就是码头工人从住处到工作场所的交通要道之一。四百二十六点五米长的易北河老隧道是为了方便员工们前往住如布洛姆 & 福斯(Blohm & Voss)造船厂等大型造船厂而建的。

Musical-Theater im Hamburger Hafen – Musical „Der König der Löwen" / Musicals in Hamburg harbour / 汉堡港的音乐剧 · 音乐剧 "狮子王"

Um in das Reich der Serengeti zu kommen braucht man in Hamburg nicht weit zu reisen. Die Fahrt mit einer Barkasse von den Landungsbrücken zum ehemaligen Freihafen, bringt Musicalfreunde binnen 5 Minuten direkt in die bunte Welt Afrikas. Der Hamburger zeigt auch hier seine Lebensart in anspruchsvollen Inszenierungen, mit exzellenten Bühnenbildern, ausgeklügelten Effekten und stimmungsvoller Musik – Musicals mit gehobenem Anspruch, die vielfach von weltgereisten Gästen besucht werden.

You don't need to go far in Hamburg to find the kingdom of the Serengeti. A 5-minute boat trip to the old freeport will bring lovers of musicals to the colourful world of Africa. Here the people of Hamburg have demonstrated other skills, with imaginative staging, wonderful scenery, stunning special effects, and the lovely atmospheric music of well-known and highly successful musicals.

在汉堡，要去小国君主的王国不需要遥远的旅行。音乐爱好者在五分钟之内就可乘坐汽船从靠岸栈桥到当年的自由港，在接到达色彩缤纷的非洲世界。这里，汉堡人在高水平的舞台演出中，运用出色的舞台场景，匠心独具的舞台效果设计以及富有情趣的音乐同样证示了他们的生活艺术－这一高水准的音乐剧获得了圆满的成功。

Musical „König der Löwen"

Hamburg besitzt gleich zwei der wenigen Musical-Schulen in Deutschland. Diese sorgen für den Darsteller-Nachwuchs der vielen Musical-Produktionen in Hamburg und in ganz Deutschland. Alleine die Show „König der Löwen" benötigt 38 Schauspieler, Tänzer und Sänger, die Simba, Pumbaa, Timon und Co. gekonnt darstellen. Mit „Hakuna Matata" kann man sich ein wenig von der Leichtigkeit des Seins, welche das Warzenschwein Pumbaa umgibt, inspirieren lassen.

The Musical "The Lion King"

Germany is not blessed with many schools devoted to musical theatre, but Hamburg is home to two such schools which are nurturing and developing new talent for the many musical productions in Hamburg and throughout Germany. The musical "The Lion King" alone calls for 38 actors and actresses, dancers and singers to recreate Simba, Pumbaa, Timon and company. The song "Hakuma Matata" will imbue everyone with something of the wonderful lightness of being embodied in the warthog Pumbaa.

音乐剧"狮子王"

在德国少数几所音乐学校中，汉堡就占有两所。这些音乐学校为汉堡乃至全德国的许多音乐剧的创造提供年轻演员。仅仅"狮子王"的长演中就需要三十八名长演艺术演员、舞蹈演员和歌唱演员。这些演员分别扮演辛巴、彭彭、丁满等。通过"Hakuna Matata（没有烦恼忧患）"的歌声人们可以从野猪彭彭生活的无忧无虑、无拘无束中受到启迪和激励。

23

△ **Neue Flora „Tanz der Vampire"**

Eine bissige Parodie auf den Mythos der Vampire ist das Musical „Tanz der Vampire". Die spritzige Inszenierung ist eine gute Mischung aus Erotik und Grusel, mit einem schrillen Akzent, was dieses Musical so erfolgreich macht. Einst bekannt durch die gleichnamige Verfilmung von 1967, inszenierte Roman Polanski die Geschichte neu.

The musical "Dance of the Vampires" is a caustic parody of the vampire myth. Lively staging has given the story a distinct edginess, skilfully blending the erotic with the macabre, and ensuring its great success. First brought to the screen in 1967 in a film of the same name, Roman Polanski's new stage production has won fresh audiences.

音乐剧 "吸血鬼之舞" 是在吸血鬼种话基础上改编的讽诸作品。饶有兴趣的演出将色情、恐怖与刺耳的音调很好地混合在一起，使这一音乐剧取得了巨大的成功。这一作品是因为一九六七年拍摄的同名电影出名的。这一音乐剧对罗曼·波兰斯基 (Roman Polanski) 的电影故事进行了更新。

Hafenkneipe am Fischmarkt ▷

Obwohl man in den urigen Hafenkneipen von Hamburg, wegen der kurzen Liegezeiten der Schiffe, kaum noch Matrosen antrifft, wird hier immer noch „Seemannsgarn" gesponnen und bei einem schwungvollen Shantie kommt wieder die alte Hafenstimmung auf.

Although you won't find many sailors in the ancient bars and pubs of the port these days as ships don't lie at anchor for very long, there is still many a seafaring yarn spun and a few lusty sea shanties sung to recreate the atmosphere of the port of bygone days.

由于停船时间短，人们在汉堡特有的港口小酒馆几乎看不到海员的身影。尽管如此，这里始终还在编织着海员的惊险故事，从前的港口气氛会在一首充满激情的水手歌中又得以再现。

HAMBURG - ST. PAULI, Musical-Theater an der Reeperbahn / Musical theatre on the Reeperbahn / 汉堡—圣保利，雷佩尔大道上的音乐剧

Modern und traditionsreich bietet das Operettenhaus ein gediegenes Ambiente, direkt an der „Sündigen Meile" der Reeperbahn. Ein wunderbares Theater mit viel Spielraum für kreative Aufführungen, wie Incentives, Promotions, rauschende Parties oder Musicals. „Mamma Mia" ist nicht die Geschichte über ABBA, sondern eine Story der „Wilden Siebziger" mit dem Schwung der Lebenslust und Lebenseinstellung dieser Zeit. Das Lebensgefühl einer ganzen Generation – geprägt durch die Songs der Gruppe ABBA.

Both modern and traditional fare is laid on in the Operetta Hall on the Reeperbahn's "sin strip". It's a wonderful venue for artistic performances and exhibitions, promotional events, large and lively private parties, and stage musicals. The musical "Mamma Mia" is not the story of Abba, but rather the story of the 70's generation, with all the verve and energy of that decade so vividly encapsulated in Abba's songs.

现代化的、具有悠久历史传统的奥普莱特剧院(Operettenhaus)虽然紧靠雷佩尔大道上的"罪孽一条街"，但它为来宾提供的是清纯、正统的环境。这是一座带有许多演出厅的精美剧院，用于富有创意的演出活动，如：颁奖、宣传、华丽的聚会或音乐剧。"Mamma Mia(妈妈咪啊！)" 不是关于ABBA 的故事，而是以那个时代的生活情趣和生活态度讲述了"未开化的七十年代"。这是整一代人的生活感觉—ABBA 歌手们的演唱使 "妈妈咪啊！" 这一作品更具特色。

Aus dem einstigen Ort, wo die Seiler ihre Schiffstaue (Reep) drehten, entwickelte sich im frühen 19. Jh. aus den bereits vorhandenen volkstümlichen Schaustellungen ein Amüsierviertel, welches weltweit einzigartig war. Das Tivoli, wieder mit Jugendstil- und Gründerzeit-Fassade, war bereits seit seiner Erbauung 1890 ein Theater für Amüsement und Artistik. Das Hamburger Mundarttheater St. Pauli von 1841 erfreut sich immer noch großer Beliebtheit. Rechts daneben hält die berühmte Davidwache, Polizeirevier 15, St. Pauli voll im Griff.

The early 19th century saw the transformation of the area where ropemakers once plied their trade into a unique and world-renowned entertainment area; the popular shows of the early days have given way to the more extensive entertainment strip we know today. The Tivoli, with its Art Nouveau and original facades, was built in 1890 as an arts and entertainment theatre. The Hamburg Mundart Theatre St Pauli, built in 1841, enjoys even greater popularity today. The famous Davidwache next door at 15 Polizeirevier stills hold St Pauli in thrall.

过去制绳工人捻制船缆的地方, 在十九世纪初从一个已有的民间长演场地发展成了一个当时世界上独一无二的消遣娱乐区。蒂沃利剧院带有青春艺术风格和经济繁荣年代风格的前墙, 它从一八九零年建成起就是一个供游乞和马戏表演使用的剧院。汉堡的方言剧院圣保利剧院建于一八四一年, 它始终深受广大市民的喜爱。右边著名的大卫哨所—汉堡第十五警察分局完全掌控制着圣保利的治安。

ST. PAULI, Große Freiheit bei Nacht

Mit „Kiez" wurde einst ein anrüchiges Viertel gemeint, was man auf der „Sündigen Meile" der Reeperbahn sehr gut nachvollziehen kann. Eine der letzten Bordellstraßen Deutschlands, die Herbert Straße, wie auch die Große Freiheit zeugen davon und versetzen den Kiezgänger in den nächtlichen Taumel dieser Halbwelt. Jede Generation bekommt die Reeperbahn, die sie verdient, die sie braucht, das ist das Naturgesetz dieser Vergnügungsmeile. Dieser sensible Organismus erfindet sich ständig neu, denn es ist ein geschlossenes System, das keine Organisation von außen bedarf.

ST PAULI Night-time revels

"Kiez" was the term once used to describe a disreputable neighbourhood, and it's a term probably equally well applied to the "sin strip" that is the Reeperbahn today. Herbert Street, one of the few remaining brothel-lined streets in Germany, gave the area its risqué reputation and still draws night-time revellers into its frenzied demi-monde. They say that every generation gets the Reeperbahn it needs and deserves – that's the law of nature on this pleasure strip. Like a sensitive organism which constantly renews itself, it is a closed world that no external organisation can control.

圣保利，夜晚下的夕名＂洋天路狂与街

人们在雷佩尔大道＂罪孽一条街＂上很容易理解为什么以前＂红灯区＂被看作是一个不体面的区域。德国最后的妓院街之一赫伯特街(Herbert Straße)和格罗泽弗赖海海特街就是一个例证。到了晚上红灯区的街道成了半上流社会醉生梦死的场所。每一代人都有云雷佩尔大道寻花问柳的。雷佩尔大道从这些人身上获得钱财，雷佩尔大道也络这些人提供他们所需要的，这就是这一娱乐消遣一条街的自然法规。这一敏感的组织机构不断处于更新之中，这是一个封闭的系统，它不容许外来机构插足。

28/29

Das plattdeutsche Ohnsorg-Theater wurde 2002 hundert Jahre alt. Das merkt man den neuen Inszenierungen natürlich nicht an. Durch zahlreiche Fernsehübertragungen wurde die Volksschauspielerin Heidi Kabel mit dem Theater deutschlandweit bekannt. – Trotz der virtuellen Medien hat sich der Börsenbesuch der Makler bis heute an der Hamburger Börse als wichtig erhalten. Der persönliche Austausch ist durch Online-Geschäfte nicht zu ersetzen. Bereits 1558 bekamen die Kaufmannsleute einen Versammlungsort an der Trostbrücke. 1841 zog man an den Adolphplatz.

The Low-German Ohnsorg Theatre was 100 years old in 2002, but you would hardly know it judging by the stage designs of today. It has become very well known throughout Germany thanks to actress Heidi Kabel's numerous television broadcasts from the theatre. – Despite the latest virtual technology, brokers and traders maintain that personal touch which only a visit to the Hamburg Stock Exchange can offer. Traders have had a meeting-place since 1558: the first was by the Trostbrücke bridge; in 1841 it moved to Adolphplatz.

演出方言德语戏剧的欧索尔歌剧院到二零零二年已有一百年的历史。这从新上演的剧目中当然无法感受到。通过无数的电视转播，民间女演员海迪·卡贝尔Heidi Kabel以及她演的戏剧闻名全德国。一尽管直观媒体的出现和普及，迄今为止股市来访者依然认为汉堡股市中的经纪人是极为重要的。人与人之间的交流是网上商务无法替代的。早在一五五八年商人们就在图如斯特桥（Trostbrücke，又叫安慰桥）畔拥有一个聚会的场所。一八四一年这一场所被迁往阿道尔夫广场（Adolphplatz）。

Die Reichsfreiheit der Stadt dokumentieren die Statuen der 20 deutschen Kaiser zwischen den Fenstern des über 100 Jahre alten Renaissance-Rathauses. Die Giebel werden geschmückt mit den Wappen der Hansestädte und mit Sandstein-Figuren, welche die Berufe des Bürgertums darstellen. Besonders ist zu erwähnen, dass hier unter einem Dach, Legislative und Exekutive, Bürgerschaft und Senat zusammen arbeiten. Der 720 qm große Festsaal wird geprägt von den großen Gemälden des Malers Hugo Vogel (1909). Über 5 Tonnen wiegen die drei Kronleuchter des Saales.

The statues of the 20 German emperors which hang between the windows of this 100-year old renaissance-style town hall attest to the city's independent status. The gables and pediments are adorned with the coats of arms of the Hanseatic cities and with sandstone figures representing the professions and trades of the middle classes. It is worth noting that the legislative and executive branches, local government and the senate work together here under one roof. The enormous 720-m² banqueting hall is decorated with paintings executed in 1909 by the artist Hugo Vogel.

拥有一百多年历史的、文艺复兴风格的市政厅窗户之间的二十个德国皇帝像记录了汉堡城的帝国自由。山墙上装饰了汉萨城的城徽以及描述市民职业的砂石塑像。尤其值得一提的是，在这座市政厅里，立法权机关、执法机关、市议会以及市政府都在一起办公。画家胡勾·福格尔(Hugo Vogel)一九〇九年华的大型绘画为七百二十平方米的大型宴会厅增添了不少辉煌。大厅顶上三只枝状吊灯重量超过五吨。

Durch die Errichtung des Reesendamms wurde die Alster für den Betrieb der Mühle des Müllers Reese aufgestaut. Die schöne Lage an der kleinen Alster wurde zur Flaniermeile der schönen jungen Hanseatinnen. Ab 1638 wurde der Damm daraufhin Jungfernstieg genannt. Es entstand ein mondäner Boulevard mit erlesenen Hotels und Geschäften. Ende 2005 erstrahlt der Jungfernstieg mit dem Rathausplatz und der Alster als neu gestaltete Komposition und nimmt seine Bestimmung als Begegnungsstätte der Schönheit und Eleganz wieder auf.

Expansion of the miller Reese's business led to the building of the Reesendamm embankment and the development of the area around the Alster. With its excellent location on the little Alster, the embankment soon became a popular promenade for the lovely young ladies of the Hansa, and led to its being renamed the Jungfernstieg in 1638. It became a cosmopolitan boulevard with exclusive hotels and shops, and has undergone a further facelift in 2005, enabling it to take its place along-side Rathausplatz and the Alster as a meeting place of the first stare of elegance and beauty.

阿尔斯特湖是磨坊主雷塞为了经营磨房，通过建造雷塞堤蓄水而成的人工湖。小阿尔斯特畔美丽的地理环境吸引着大量年轻漂亮的汉萨城女孩来此散步。由此，从一六三八年起这座堤坝被称为处女堤。该堤现已变成了一条漂亮的林荫大道，两旁有许多精美的宾馆和商店。经过重新布局，到二零零五年底，包括市政厅广场在内的处女堤和阿尔斯特湖将更具魅力，并将重新作为美丽和高雅的汇聚点。

Stolz sind die Hamburger auf ihre Alsterseen. Inmitten dieser Weltstadt gibt es diese Oase der Ruhe, die der geschäftigen Hafen- und Hansestadt nicht nur einen Ruhepol, sondern auch den Luxus des Besonderen gibt. Prächtig sind die Villen alter Kaufmannsfamilien an der Außenalster. Vornehm und mit norddeutscher Eleganz reihen sich von hieraus die bevorzugten Stadtteile mit den herrlichen Häusern aus der Gründerzeit. Sie spiegeln noch immer den exquisiten Geschmack und Lebensstil der Hamburger wider.

The people of Hamburg are proud of their Alster lakes – oases of calm in this busy cosmopolitan city. They exert a calming influence over the bustling port and town, and bring a touch of luxury to everyday life. The splendid villas of the old merchant families line the Outer Alster. The most exclusive neighbourhoods in the city can be found near here, noble and elegant in that inimical northern-German style, exemplars of that beautiful original houses, exemplars of that exquisite Hamburg taste and fashionable lifestyle.

阿尔斯特湖是汉堡人引以为豪的景点。在这城市西部的中心，有这一块安静的绿洲，它不仅为繁忙的港口和汉萨城提供了一块休闲之地，而且还给其带来了特别的奢华。外河尔斯特湖畔古老商人家族的别墅豪华。这里是最受喜爱的住贵族城区，带有北德地富丽堂皇。德国经济繁荣时代富丽堂皇的小区高贵雅致的特色。它始终反映出汉堡人出色的审美观以及生活时尚。

Volks- und Straßenfeste erfreuen sich in Hamburg großer Beliebtheit, wie der „Dom" das Volksfest auf dem Heiligengeistfeld, welches bereits im 11. Jh. seinen Ursprung hat und dreimal im Jahr gefeiert wird. Die Stadtteilfeste fördern das Brauchtum und die Kultur in den Stadtbezirken, bekannt sind die Altonale, Erikastraßenfest, Hafengeburtstag, Spreehafenfest und das Fest der Kulturen. – Weltbekannt sind die Tennis-Turniere am Rothenbaum (S. 41), hier spielten schon Becker, Stich, Graf, Wilander und Noah im wohl schönsten Tennisstadion Deutschlands.

Folk and street festivals are hugely popular in Hamburg, like the „Dom", a folk festival which originated in the 11th century and which is still held three times a year on the Heiligengeistfeld. Local neighbourhood festivals also ensure that the customs and culture are not forgotten – for example, the Altonale, Erika Street festival, Port birthday celebrations, Spreehafen festival, and the Festival of Culture. The tennis tournaments at Rothenbaum (p. 41) are world renowned – Wilander, Becker, Stich, Graf and Noah have all played here, in what is probably Germany's loveliest tennis stadium.

民间庆典和街区庆典在汉堡极受青睐，如被称之为"Dom"的庆典，这是在海利根盖斯特费尔德的Heiligengeistfeld的民间庆典，它的历史起源一直可以追溯到十一世纪，这一庆典每年要庆祝三次。城区庆典也能同时促进城区中民间风俗习惯的发扬光大以及城区文化，从阿尔通纳文化节（Altonale），石楠街区的Erikastraßenfest，汉堡港建港纪念日（Hafengeburtstag），施普雷港庆典（Spreehafenfest）以及文化节等庆典中闻名于世界的受数羽滕鲍。非兰德，贝克，施蒂希，格拉夫以及诺亚等各名球星都曾在这些德国最美的网球场中参加过网球赛。

Das Congress-Centrum Hamburg zählt zu dem modernsten und größten in Europa. Pro Jahr besuchen rund 520.000 Gäste das CCH. Umgeben vom Grün des Alten Botanischen Gartens und des Parks „Planten un Blomen", befindet sich gegenüber das Messegelände. Das Dammtor war einst ein Tor der großen Wallanlage, die Hamburg umschloss. Vom Bahnhof Dammtor mit seiner Jugendstil-Stahlkonstruktion von 1901 zum Hauptbahnhof ist es nur eine S-Bahnstation. Der Hauptbahnhof bekam 1991 die Wandelhalle als eines der ersten Einkaufszentren in großen Bahnhöfen.

The Hamburg Congress Centre is amongst the largest and most modern convention centres in Europe. Directly opposite lie the Old Botanical Gardens and the 'Planten un Blomen' Park. The Dammtor was once a gate in the massive ramparts which encircled Hamburg. Just one stop on the S-Bahn will take you from the Dammtor Railway Station, with its Art Nouveau steel construction dating back to 1901, to the main railway station. In 1991 the Wandelhalle opened in the main railway station, one of the first shopping centres in the larger railway stations.

汉堡市会议中心是欧洲最现代化、最大的会议中心。汉堡市会议中心每年接待来宾将近 52 万人次。它附近是老植物园和"花木植物园(Planten un Blomen)"，对面是博览会展区。堤坝门街火车站具有建于一九零一年的青春艺术风格的钢结构。从这里始发乘坐轻轨铁路车辆只要一站路就可到达火车总站。一九一一年汉堡火车总站始建了一个回廊作为大型火车站中第一个购物中心之一。

44 HAMBURG, Berliner Bogen in Hammerbrook / Berliner Bogen building in Hammerbrook / 汉堡，"柏林之拱"的办公大楼

Nach der völligen Zerstörung der Arbeiterstadtteile Hammerbrook, Klostertor und Borgfelde im zweiten Weltkrieg wurden diese von da an mit Bürogebäuden neu gestaltet. Die Lage direkt vor der Innenstadt, mit den optimalen Anbindungen zum Hafen, der Speicherstadt und den Schienenverbindungen, waren für die Entwicklung zum Dienstleistungsstandort ideal. Bemerkenswert ist das Bürohaus Berliner Bogen (2001) mit 14.000 qm Glasfläche. Hier in der heutigen City Süd findet man auch den Frischeumschlagplatz – den bekannten Großmarkt.

Office buildings now stand in the old working class districts of Hammerbrook, Klostertor and Borgfelde, which were almost totally destroyed during the Second World War. Situated near to the inner city, with easy access to the port and Speicherstadt docklands, and good rail connections, this was the ideal location for large-scale service industry development. Particularly noteworthy is the Berliner Bogen office building with its 14,000 square metre expanse of glass, developed in 2001. In the new City South you will also find the well-known central wholesale market.

二次世界大战中，主要以居住劳工为主的城区汉默尔布洛克(Hammerbrook)，科洛斯特托(Klostertor) 以及波格菲尔德Borgfelde)完全被毁。战后，在这些区域中开始了新办公楼的设计建造。这里的地理位置紧靠市中心，与港口和仓库城的交通连接十分便捷，铁路交通也十分发达，所以是发展服务性行业的理想选择。值得注意的是建于二零零一年的，名为"柏林之拱"的办公大楼，拥有一万四千平方米玻璃面积的，在今天市中心的南部还有新鲜物品转运中心—著名的大市场。

Krameramtsstuben am „Michel"

Als letztes erhaltenes Beispiel einer typischen Hamburger Wohnanlage des 17. Jh. ist das malerische Hofensemble mit einer originalen Museumswohnung, einem Tee- und Kaffeekontor und mehr, das ganze Jahr über zu besichtigen. Die Krameramtsstuben waren Freiwohnungen für die Witwen verstorbener Zunftmitglieder des Krameramtes. 20 Witwen aus der mittelschichtigen Ladenbesitzerschaft der Stadt bekamen hier einen Altersruhesitz, um die Ladenlokale wieder für neue Krämer frei zu machen.

Krameramtsstuben at the "Michel"

This colourful courtyard is one of the last remaining examples of a typical 17th century Hamburg residence. Open all year round to visitors, it houses an original apartment which is now preserved as a museum, as well as a tea and coffee bar, amongst other things. The Krameramtsstuben were almshouses for the widows of members of the haberdashers guild. Twenty widows from the city's shop-owning middle classes were housed here in their retirement, enabling their shops to be taken over by new shopkeepers.

"米歇尔"教堂以下的汉堡内廓行会宿利院

作为尚存有的十七世纪典型型汉堡住宅院设施的最后一个范例，这里有包括一套破碎为博物馆的原汁原味的住宅的美丽如画的庭院群落，一家茶叶，利咖啡商号等作多景点。这里一年四季对外开放，供游客参观。汉堡商贩行会福利院曾是为已故商贩行会会员的遗孀们安排的免费养老院。城市中产阶层的商店主们中们中的二十位寡妇曾住在此养老，以便将商店让位给商贩行会新的会员经营管理。

45

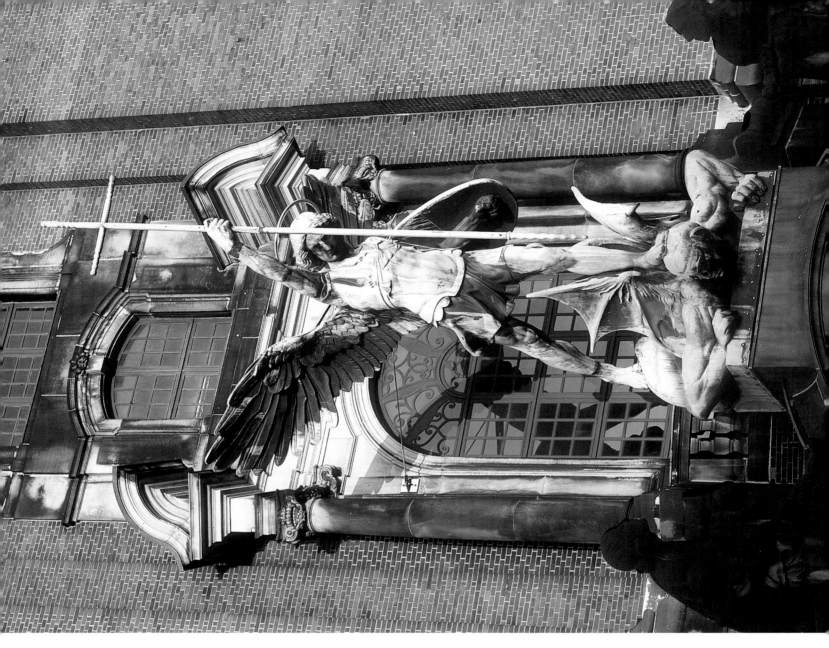

HAMBURGER „Michel" St. Michaelis

Als bedeutender protestantischer Barockbau Deutschlands und Wahrzeichen Hamburgs wird die 132 m hohe Kirche liebevoll „Michel" genannt. Die sehenswerte Aussicht von der 82 m hohen Plattform kann man per Fahrstuhl oder Treppen erreichen. Schon am Portal empfängt die neugotische Statur des Erzengels St. Michael, auch Namensgeber der Kirche, den Eintretenden in heroischer Siegesgeste. Er hat Luzifer in Form eines Drachen erlegt. Als Fürst der Kirche soll er die Seelen ins Paradies geleiten.

HAMBURG's "Michel" – St Michaelis

The 132-metre high church of St Michaelis, endearingly referred to as the "Michel", is the most important Protestant baroque building in Germany and a Hamburg landmark. There are wonderful views to be had from its 82-metre high platform, which can be reached via the stairs or by elevator. The neo-Gothic figure of the Archangel Michael after whom the church is named greets the visitor in heroic victory stance at the church portals. He has slain the devil, in the shape of a dragon. As a prince of the church he will accompany souls into paradise.

汉堡，被称为"米歇尔"，米迦勒的教堂

高一百三十二米的圣·米迦勒教堂是德国新教中最重要的巴洛克式建筑，同时也是汉堡的标志，它被昵称为"米歇尔"。人们可乘电梯或通过台阶登上八十二米高的平台，放眼所望，道道亮丽景色尽收眼底。新哥特风格的大天使圣·米复埃尔(St. Michael)立像以庄严的胜利者姿态在教堂的门厅中迎接米赀。圣·米迦勒教堂就是以大天使圣·米复埃尔命名的。圣·米复埃尔承征服了龙形恶魔，作为教堂的统治者，他佑护着人们的灵魂进入天堂。

46/47

Luxusliner „Queen Mary 2", verlässt den Hamburger Hafen / leaving Hamburg Harbour / 欢乐地驶系泊的州码头。

Die „Queen Mary 2" ist mit ihren 151.400 BRT, 345 Metern Länge, 41 Metern Breite, 72 Metern Höhe das z. Zt. größte Passagierschiff der Welt und damit dreimal so groß als die „Titanic". – Mit Deutschlands fünftgrößtem internationalen Flughafen möchte man doch auch in Zukunft das Tor zur Welt offen halten. Bis 2007 wird der Flughafen erweitert, bereits 2005 steht der Terminal 2 zur Eröffnung bereit. 9,5 Millionen Passagiere, ca.150.000 Starts und Landungen und fast 80.000 Tonnen Luftfracht werden hier pro Jahr abgefertigt.

The Queen Mary 2, at 345 metres in length, 41 metres in width and 72 metres in height, and 151,400 gross tonnage, is currently the largest passenger vessel in the world, almost three times the size of the Titanic. – As Germany's fifth largest airport, Hamburg's international airport is undergoing considerable expansion in order to be able to accommodate many more passengers well into the future. The entire airport will have been enlarged by 2007, although the new Terminal 2 will be ready to open in 2005.

"玛丽女皇二号" 以其十五万十四百的总吨位，三百四十五米的长度，四十一米的宽度以及七十二米的高度属于目前世界上最大的客轮，比 "泰坦尼克号" 大三倍。一作为德国第五大国际机场，人们希望汉堡福尔斯布特尔国际机场这局面向世界的大门在未来的岁月里始终敞开。到二零零七年机场将得以扩建。二零零五年二号候机大厅就将落成使用。这里每年完成大约九百五十万乘客的接送，十五万架次的飞机起降以及将近八万吨空运物资的运输任务。

Ausflugsziele ins Elbtal / Excursions to Elbtal / 易北河谷的郊游目标

Man braucht nicht weit zu reisen um in die Naherholungsgebiete vor Hamburg zu kommen. Direkt auf der anderen Seite der Elbe liegt die verträumte Landschaft des Alten Landes, Deutschlands Obstgarten Nr. 1. Zwischen Harburg und Stade erstreckt sich im Frühjahr ein Blütenmeer von ungefähr 3 Millionen Obstbäumen. Reich verzierte Hoftore künden eindrucksvolle Altländer Bauernhäuser an. Hier lässt es sich herrlich durch die reizvollen Dörfer entlang der Deiche wandern. Wer das Auto lieber daheim lässt, kann das Alte Land einfach auf dem Wasserweg erreichen.

One doesn't have far to travel to reach Hamburg's nearest recreational areas. On the opposite side of the Elbe lies the magical landscape of Altes Land, Germany's premier orchard. In springtime the entire area between Harburg and Stade is a sea of blossom on the 3 million fruit trees. Lavishly decorated entrance gates and courtyards lead to impressive Altländer farmhouses. Here it's easy to wander from one enchanting village to another along the dyke. Those who prefer to leave their cars behind can easily reach Altes Land by water.

人们不需要远途旅行就可到达汉堡附近的疗养区。阿尔特斯兰特梦幻般的景色就在易北河的另一侧,这里也是德国的头号果园。存天,在哈尔堡(Harburg)和施达特城(Stade)之间大约三百万株果树扩展成了一片花的海洋。装修得富丽堂皇的庄园大门向人们展示了令人难以忘怀的阿尔特斯兰特农舍。这里沿着河堤,穿过富有魅力的小村庄漫步前行会使您"心旷"神怡。谁要是不想开小米比,可通过水路非常方便地到达阿尔特斯兰特。

Buxtehude zeigt sich als märchenhaft restaurier-te Fachwerkstadt mit ganz besonderem Charme. Die Geschichte vom „Hasen und Igel" die um die Wette liefen oder „dem Hund der mit dem Schwanz bellt", stammen von hier und wurden von den Brüdern Grimm in ihre Märchensam-mlung aufgenommen. Die über tausendjährige Stadt hatte durch ihre Lage an der Este und der Nähe zur Elbe eine gute Ausgangsposition für einen florierenden Handel. Bei Ausgrabungen wurden sogar Glasfunde aus einer Besiedelung aus der Zeit 500 v. Chr. gemacht.

Buxtehude, with its beautifully restored half-tim-bered houses, is a town with extraordinary fairy-tale-like charm. The stories of "The Hare and the Hedgehog" who ran for a bet and "The Dog Who Barked with his Tail" originated here and were taken up by the Brothers Grimm and incorporated into their collection of fairytales. The town, which is over a thousand years old, has had a flourishing trade due to its position on the Este and its proxi-mity to the Elbe. Excavations have unearthed evidence of a settlement dating back to 500 B.C.

作为经过整修的、童话般的桁架结构房屋城，布克斯特胡德展示了了特殊的魅力。"兔子和"刺猬"赛跑的故事或者是"用尼巴叫的狗"都源于此处，并被格林兄弟收入他们的童话集中。布克斯特胡德城具有一千多年的历史，它位于埃斯特河畔，距易北河不远的地理位置使其成为繁荣贸易的最佳地点。在考古发掘过程中，人们甚至从公元前五百年的居民点中出土了玻璃文物。

Früher war die Elbüberfahrt bei Wind und Wetter nicht immer ein Zuckerschlecken, im Winter war die Elbe zeitweise unüberwindbar. Doch erst vor 100 Jahren begann man dieses „Hindernis" mit Brücken und später durch Tunnel zu bewältigen. Heute kann es höchstens passieren, dass sich auf den Brücken oder im Tunnel ein Stau bildet, der jedoch meistens schnell wieder auflöst. Haben wir die Verbindungen stadtauswärts erst einmal passiert, so gelangen wir schnell in das Gebiet Vierlande und Marschland zwischen Seevetal, Winsen, Reinbek und Geesthacht.

In the past, heavy winds and bad weather often made crossing the Elbe a far from pleasant experience; in winter the Elbe was often almost impassable. Attempts to overcome these obstacles were only begun about 100 years ago with the building of bridges and later a tunnel. Nowadays one is only likely to be delayed by traffic tailbacks for a few minutes at most, whether on the bridges or in the tunnel. Once past the main exit routes from the city one quickly reaches the Vierlande and Marschland regions, between Seevetal, Winsen, Reinbek and Geesthacht.

以前，在刮大风或是冬季时跨越易北河并不总是一件容易的事。冬天有时易北河甚至是无法通越的。一百年前，人们开始以造桥、随后通过建造隧道的方式来消除这一 "障碍"。今天最多只会由于交通堵塞，人们在桥上或在隧道中等上几分钟而已。如果我们一旦穿过了城市外围的交通线路，很快就能到达泽韦塔尔(Seevetal)、温森(Winsen)、莱恩贝兑(Reinbek)以及格斯塔赫(Reinbek)之间的菲尔兰特(Vierlande)和马施兰特(Marschland)。

HAMBURG-Bergedorf, Schloss

Die einzige mittelalterliche Burg auf Hamburger Stadtgebiet liegt in einer Parkanlage, umschlossen von einst hohen Verteidigungswällen und Burggräben. Ihre Geschichte reicht bis ins 13. Jh. zurück. Heute findet man hier auf dem Schloss eine umfangreiche Ausstellung zur Geschichte Hamburgs und dem Umland, im besonderen über das Gebiet der Vierlande. Eine Perle der Kaffeehauskultur konnte hier im Schloss erhalten werden, nachdem man die Einrichtung des alten Kaffees Möller übereignet bekommen hatte.

HAMBURG Bergedorf, Castle

The only castle dating back to the Middle Ages within Hamburg's domain lies in grounds encircled by high ramparts and a moat to defend the castle from attack. It dates back to the 13th century. The castle has an extensive exhibition covering the history of Hamburg and the surrounding area, in particular the Vierlande region. The castle would make an ideal spot for a gem of a coffee house, if the fixtures and fittings of the old Kaffee Möller could be transferred here.

汉堡·贝尔雾道夫，罗杰

汉堡城区内唯一一个中世纪城堡位于一个公园内，四周为从前高高的防护墙以及城堡的防护壕所包围。其历史一直可以追溯到十三世纪。今天，在宫殿中人们可以参观到多介绍汉堡及周边地区，尤其是菲尔兰特地区历史的展览。自从原来移物咖啡的这些施放转让和接管后，这颗咖啡文化中的明珠在此宫殿中得以延存。

VIERLANDE, Freilichtmuseum Rieck-Haus in Curslack / Rieck-Haus Open Air Museum in Curslack / 菲尔兰特，仕丁垂收拉元办亚元之办亚大博物馆

Hier im Marschland, wo der Boden am üppigsten ist, muss es wohl eine Freude gewesen sein, angesichts des Ertrages, den man jedes Jahr erwirtschaften konnte, sein Tagewerk zu vollbringen. Jedoch einfach war das Landleben vor dreihundert Jahren nicht. Einen guten Eindruck davon vermittelt das für uns romantisch anmutende Rieck-Haus. Mit Hilfe der Bockwindmühlen wurde das Land entwässert und der Elbe zugeführt. Wenn dann die Erdbeeren zu blühen begannen, ließ der ambrosische Duft dieser Früchte einen willenlos zum Genuss derselben überreden.

Here in Marschland, where the soil is rich and plentiful, one would imagine that it must have been a joy to complete one's daily work, confident of achieving healthy yields each year through careful management. But living on the land was not as easy as all that three hundred years ago. The land was drained with the aid of special windmills and water channelled to the Elbe. Once the strawberry plants began to flower and the heavenly aroma of their fruit wafted through the air, it would have taken more than willpower to resist them.

这里，任低湿地中土地最为肥沃。如果人们完成了日常劳作并展望每年经营劳作所能带来的丰硕收成，这肯定是一种极大的乐趣。但是三百年前的农村生活并不是这样简单。浪漫的里兄之家为此给我们留下深刻的影响。人们借助四角风车在当地进行排水，并把排出的水引向易北河。当草莓花绽放时，让人飘飘欲仙的香味能使人情不自禁地产生品尝这一美味果实的欲望。

LÜNEBURGER HEIDE bei Wilsede / LÜNEBURG HEATH near Wilsede / リューネブルク近郊のリューネブルク荒野

Als größte Reiseregion Niedersachsens kann die Lüneburger Heide mit einer ganzen Palette von Sehenswürdigkeiten aufwarten, denn nicht nur die violetten Heideflächen sind legendär. Gemütliche Fachwerkorte, imposante Hünengräber und ehrwürdige Klosteranlagen, sowie die lebendige Universitätsstadt Lüneburg, machen einen Aufenthalt zum Erlebnis. Ruhe und Beschaulichkeit findet man hier bei einer Kutschfahrt oder Wanderung entlang der Heidelandschaft mit den leuchtenden Heidekrautfeldern und Wacholderbäumen, so weit das Auge reicht.

As the largest holiday region in Lower Saxony, Lüneburg Heath has countless attractions on offer, and its legendary purple heathlands are not its only claim to fame. Cosy half-timbered villages, imposing megalithic barrows and venerable monasteries, along with the lively university town of Lüneburg make a stay here a memorable experience. You can find peace and tranquillity on a ride or a wander over the heathland, with the lustrous fields of heather and juniper trees stretching as far as the eye can see.

LÜNEBURG, Am Stintmarkt 59 ▷

门内堡荒原作为下萨克森州最大的旅游地区为人们提供了一系列的风景名胜。在这里，不仅紫色的草原具有传奇色彩。舒适的有架防屋城镇，庄严雄伟的石冢，令人生敬的修道院以及生气勃勃的门内堡大学城，所有这一切都将使在此逗留的人永远得到一番新的体验。在这里无论是乘坐马车游览或沿着荒原紫色能步旅行都可放眼四野，视野所及是一片波光粼粼的草场以及成片的杜松树，其中的宁静和安闲不言自喻。

Bernhard von Askanien baute 1182 die Festung Lauenburg. Lange regierten die Askanier, so dass das Herzogtum im Wesentlichen noch heute vorhanden ist. Lauenburg verdankt seinen Wohlstand der direkten Lage an der „Alten Salzstraße", einer der ältesten Handelsstraßen. Die malerische Schifferstadt bietet ganz nostalgisch, eine Fahrt mit dem noch kohlebefeuerten Raddampfer „Kaiser Wilhelm" (1900) an, der weltweit einzigartig in seiner Art ist. – Auf Schloss Ahrensburg ist die adelige Wohnkultur des 18. und 19. Jh. allgegenwärtig.

Bernhard of Askanien built the Lauenburg fortress in 1182. The Askanier family ruled for a very long time and the duchy retains its importance to the present day. Lauenburg owes its prosperity to the fact that it lies on the Alten Salzstrasse, namely the old salt route which is one of the oldest trade routes. In picturesque Schifferstadt you can take a wonderfully nostalgic trip on the "Kaiser Wilhelm", one of the original coal-fired paddle-steamers built in 1900; it is the only example of its kind in the world. At Ahrensburg Castle you get some idea of how the nobility lived in the 18th and 19th centuries.

一一八二年，伯恩哈德·冯·阿斯卡尼恩（Bernhard von Askanien)建造了劳恩堡要塞。阿斯卡尼恩统治了很长一段时间，以至于他公国领地的主要部分一直保存至今。劳恩堡古接位于最古老的商道之一的“古老盐道(Alten Salzstraße)”，这一有利的地理位置是使其能够繁荣的主要原因。美丽如画的船城赋予人们特别的思乡之情，如果乘坐建于一九〇〇年的“威廉大帝(Kaiser Wilhelm)”号这一原汁原味的燃煤蒸汽机明轮航游览。怀古之情更是抒之不去。这条船是世界同类船只中独一无二的。—在阿伦斯堡宫殿中，十八和十九世纪的贵族居住文化比比皆是。

Zu den Nordfriesischen Inseln / 从汉堡到北佛里斯兰岛

Einmalig ist Helgoland, die rote Buntsandstein-felseninsel, die vom nahen Golfstrom so begünstigt ist, dass auf ihr immer gemäßigte Temperaturen herrschen. Hier, 70 km vom Festland entfernt, findet man wirkliche Ruhe. Nur die kleinen Sportflugzeuge und Fähren erinnern an das turbulente Leben, welches man einen Urlaub lang hinter sich gelassen hat. Helgoland, Deutschlands einzige Hochseeinsel besitzt eine Flora und Fauna ganz besonderer Art. Dieses Naturdenkmal kennt keine Umweltprobleme, hier ist die Luft nahezu staub-und pollenfrei, ideale Bedingungen für Allergiker.

Helgoland is unique, a red sandstone rocky island nestling in the Gulf Stream which ensures that it has a temperate climate all year round. Here, 70 kilometres distant from the mainland, you are sure to find real peace. Only the small sports planes and ferries remind you of the hectic life which you have managed to leave behind you for an entire holiday. Helgoland is Germany's only island in the open sea and as such has unique flora and fauna. They are naturally protected due to the absence of environ-mental pollution. The air is dust- and pollen-free - ideal conditions for people with allergies.

赫尔果兰岛，这一赤色的彩色砂石岩岛是独一无二的，这座岛得益于附近的海湾洋流。气温始终温和适宜，在这里离大陆七十公里的地方，人们确实能够找到一份宁静。只有休存运动小飞机以及渡船才能让人想起度假时早已抛至脑后的喧嚣生活。赫尔果兰岛是德国唯一一个远洋岛。这里拥有种类极为特殊的植物和动物，这一自然保护区没有环境问题，这里的空气几乎无尘无埃，是过敏者理想的疗养地。

„Landunter" kann es im Herbst schon mal heißen, wenn die Sturmfluten die Halligen im Wattenmeer überschwemmen. Doch die Halligenbewohner trotzen dem harten Leben auf den Watteninseln, denn sie lieben die einmalige Ruhe und den außergewöhnlichen Reiz dieser Umgebung. Einige Inseln kann man bei Ebbe über das Watt vom Festland aus zu Fuß erreichen; doch Vorsicht, die Gezeiten müssen strengstens beachtet werden, denn die Flut kommt schnell und unerbittlich.

INSEL LANGENESS, Seehundkolonie / LANGENESS ISLAND, Seal colony / 朗厄内斯岛, 海豹的栖息地   65

Warnings of "land under water" can be heard as early as autumn when high storm tides flood Halligen's tidal shallows. Yet the inhabitants of Halligen are prepared to brave this harsh life in the tidal shallows because the unique tranquillity of their surroundings holds an extraordinary appeal for them. Several islands can be reached on foot from the mainland across the shallows at ebb-tide; but care must be taken and the time carefully watched, because the tide rushes in swiftly and remorselessly.

秋天，当风暴引起的大潮淹没了北海浅滩上的哈利根岛(Halligen)时，可以说是"陆地沉没"了。尽管北海浅滩岛上艰苦的生活，哈利根岛居民仍热爱着无与伦比的宁静以及周边环境所拥有的不同寻常的刺激。退潮时，人们可从大陆上通过北海浅滩徒步登上一些岛屿，但要小心，必须严密监视潮汐的情况，因为潮水来得很快，而且是严酷无情的。

Bei seinem Lieblingsgetränk, einem „Pharisäer", kann der Friese auch schon mal gesprächig werden und erzählt von alten Zeiten. Amrum lebte in früheren Zeiten vom Walfang und der Strandpiraterie. Der „Blanke Hans" (die Nordsee) nagt noch immer an den Küsten der Inseln und des Festlandes. Bereits 3.000 v. Chr. waren hier Siedler ansässig, deren Zeugnisse überall auf der Insel zu finden sind. Mit maritimem Flair bezaubert Wittdün an der Südspitze Amrums, und der Kur- und Ferienort Norddorf bekommt durch das fröhliche Strandleben sein buntes Antlitz.

If you give a native Frieslander his favourite tipple, a "Pharisaer", he'll soon become loquacious and tell you a few tales of olden days. In bygone days Amrum thrived on whaling and beach piracy. Known here as "der Blanke Hans", the North Sea is still eating away at the coastlines of the island and the mainland. There were already settlers here in 3000 B.C., and evidence of their presence can be found everywhere on the island. Wittdun on the southern tip of Amrum has a magical maritime aura, while the spa and holiday resort of Norddorf has a vibrant and colourful beachlife.

佛里斯兰人(Friese)在饮用最喜爱的饮料 "法利塞人 (Pharisäer)" 时，会变得健谈起来。可能会讲述古老的时光。较早的时候，阿姆鲁姆人靠捕鲸和抢劫搁浅船只为生。"Blanke Hans"（北海）还一直侵蚀着阿姆鲁姆岛与大陆的海岸。早在公元前三千年，就有移民来岛上定居。这在岛上到处都可找到佐证。阿姆鲁姆岛南端的维特杜以其大海的氛围令人神往。疗养和度假胜地北村以欢快的海滨活动赢得了多彩的面貌。

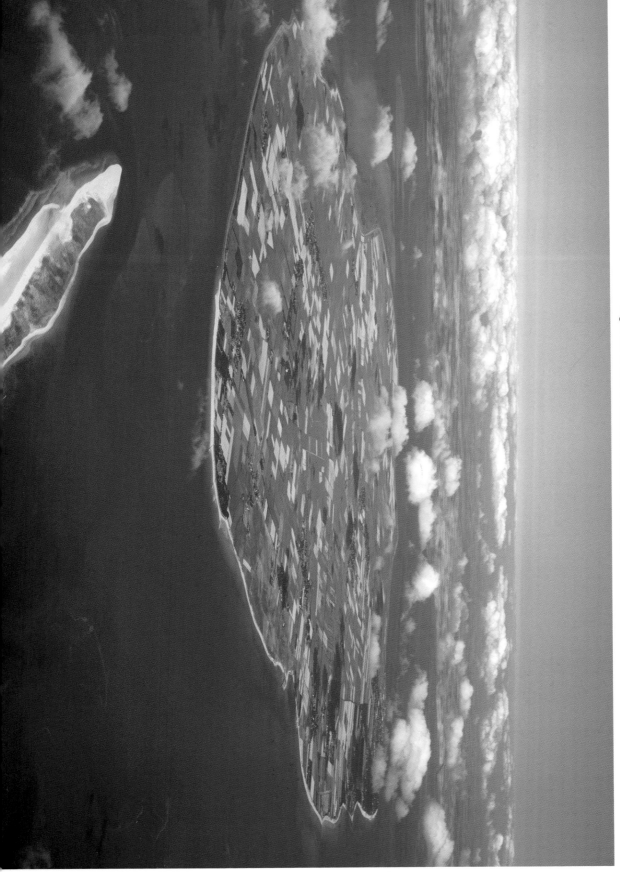

Unser Luftbild zeigt die naturrunde, 82 qm große Watteninsel Föhr, im Hintergrund Amrum und vorm ein Stück der Hallig Langeness. Wer keine Nordseebrandung liebt, reist nach Föhr in das Seeheilbad Wyk oder in die Inseldörfer. Sehenswert ist die Dorfkirche und die alten Friedhöfe mit Grabsteinen der Walfänger und Kapitäne. In Wyk befindet sich ein Heimatmuseum. Bei Festlichkeiten tragen die Frauen noch den ererbten silbernen Friesenschmuck als würdige deutsche Tracht.

The aerial photo shows the circular island of Föhr. In the background can be seen the island of Amrum, in the foreground part of Langeness. There are no spectacular breakers on the sheltered beaches of Föhr, just a quiet swell that harmonizes with the neat, photogenic island villages, the little churches and the graveyards where generations of whaling men and sea captains lie. In the village of Wyk there is a local history museum illustrating the island's crafts, customs and traditional dress, which is one of the most dignified of all the national costumes of Germany.

我们的空中摄影显示了一个自然区域，一个82平方公里大的北海浅滩岛屿——这就是弗尔岛，背景是阿姆鲁姆岛，前面是哈利根默根内斯岛的一部分。谁要是不喜欢北海汹涌的波涛，可以到弗尔岛的海水疗养地维克(Wyk)或在弗尔岛上的小村庄中旅行。岛上的圣地维克镇名胜有村中教堂以及那些捕鲸者和船长们的墓碑的墓地。在维克有一家地方博物馆，每逢庆典，妇女们还会佩戴世代遗传的银制佛里斯兰首饰作为庄重的德国民族服饰。

Nordfriesische INSEL FÖHR – Wyk / North Friesian, FOHR ISLAND – Wyk / 弗尔岛 / 渊尔岛 / 北德弗里斯兰. 比克.

Da die Insel zum größten Teil aus Marschland besteht, wird hier noch sehr viel Landwirtschaft betrieben. Vom Deich aus sind die Vogelkojen zu erkennen, die man einst anlegte um Zugvögel anzulocken. Die Insel wächst heute noch immer weiter: im Norden wird wie früher Land gewonnen und salzige Wiesen verwendet man als Weideland für Schafe. Um die Dächer der Häuser in den Orten mit Reet zu decken, werden die Reetwiesen hinter dem Deich jedes Jahr abgeerntet. Der hübschen Stadt Wyk sieht man noch heute den traditionellen Kurbetrieb an.

Most of the island is marshy and farming has been the main occupation here for centuries. Föhr is actually increasing in size, for to the north land is slowly being won from the sea as salt marshes are gradually converted to grazing land for herds of sheep. Reed is a typical roof covering on Föhr and behind the dykes there can be found extensive reed beds which are harvested every year and dried for use by the local thatcher. To this day the pretty town of Wyk still retains its traditional health spas.

由于这一岛屿的大部分是低洼沼地，所以这里的农业经济占很大比重。从堤岸上望去，还可看到以前为招引候鸟而建造的小鸟屋。今天，这一岛屿还在不断扩大：北边和早先一样还是不断呈现海涂。盐碱草地被人们用来作为牧羊的草场。人们每年都收割堤岸后的芦苇草，地收割芦苇，用来覆盖当地房屋的屋盖。今天，人们依然把美丽的城市比克看作是传统的疗养胜地。

69

Die größte deutsche Nordseeinsel Sylt kann mit allem aufwarten was das Herz begehrt. Deshalb ist diese Insel bei den meisten so beliebt, so dass viele Stammgäste jedes Jahr wieder hierher kommen. Die Insel bietet Natur pur, mit der rauen Brandung der Westseite und dem stillen Wattenmeer an der Ostseite. Von majestätischen Kliffs kann man weit in die Ferne blicken, oder man taucht ein, in den Trubel des Nachtlebens mancher Ortschaften. Ein Naturschauspiel sind die Wanderdünen, die jährlich 4 m gen Osten wandern, auf dem Luftbild unten sind sie in der Bildmitte gut zu erkennen.

Sylt, the largest German island in the North Sea, can offer everyone their heart's desire; it is for this reason that the island is loved by almost everyone and that so many regular visitors return year after year. The island can offer nature at its finest, from the wild breakers on the western side of the island to the still coastal shallows of the eastern coast. There are great views from the majestic cliffs, or one can dip into the hustle and bustle and the nightlife in a number of different villages. The shifting dunes make a fabulous natural spectacle, moving some 4 metres to the east every year.

德国最大的北海岛屿济耳特岛能够提供游客们所向往的一切，因此该岛是如此受人喜爱，许多常客每年都会回到这里来旅游。济耳特岛奉献了纯自然的大千世界，从西面汹涌的惊涛拍岸而宁静的北海浅滩。游客既可登临巍峨的峭壁以放眼远望，也可一头扎入某些地方所提供的喧嚣和夜生活中。风沙吹拂而成的沙丘是一个天然演员，它每年向东移动四米。这一切从空中摄影中清晰可辨。

Sonne, Strand, Meer und die Luft prickelt wie Champagner. Sylt hat 200 Sonnenstunden mehr im Jahr als Hamburg. So kann man Urlaub genießen! Jeder der zwölf Orte der Insel besitzt ein ganz eigenes Naturell – lebhaft ist Westerland, malerisch Keitum, exklusiv gibt man sich in Kampen und der nördlichste Punkt Deutschlands ist List. Am langen Strand von Rantum ist das Eldorado der Sonnenanbeter. In Hörnum, wo sich die Häuser sanft an die Dünen schmiegen, winkt von weitem der Leuchtturm und signalisiert den Tagesausflüglern den Hafen.

Sun, sea, beaches, and air that prickles like champagne! Sylt has 200 more sunshine hours per year than Hamburg. That makes for an enjoyable holiday! Each of the 12 villages on the island has its own temperament: Westerland is lively, Keitum picturesque, Kampen exclusive, and List is the most northerly point in Germany. The long beach at Rantum is an eldorado for sunworshippers. In Hörnum, where the houses nestle softly against the dunes, the lighthouse winks from far away guiding daytrippers safely back into the harbour.

阳光、沙滩、大海以及怡和州的空气给予人们的像香槟酒刚激云头时的感觉。济耳特岛每年日照时间比汉堡多两百个小时。这样能使度假者尽情地享受。济耳特岛上的十二个地方中每一个都有自己的特色——威斯利兰(Westerland)生气勃勃，凯托姆(Keitum)美丽如画，卡姆鹏(Kampen)堪称高雅。里斯特特是德国最北端。兰图姆(Rantum)长长的沙滩是热爱阳光者的乐园。赫尔奴姆(Hörnum)的房屋柔顺地依偎在风沙吹积而成的沙丘旁。高高的灯塔向远方招手呼唤，为当天远足者指明港口的位置。

© Copyright by:
ZIETHEN-PANORAMA VERLAG
D-53902 Bad Münstereifel · Flurweg 15
Telefon: (0 22 53) 6047 · Fax: (0 22 53) 6756
www.ziethen-panoramaverlag.de

1. Auflage 2005

Redaktion und Gestaltung: Horst Ziethen

Einleitungstext:
Auszugsweiser Zusammenschnitt der Texte aus der
Hamburg-Ausgabe von MERIAN/Jahreszeiten Verlag,
mit Beiträgen der Textautoren: Jakob Augstein, Bothe Richter,
Christina Weiss, Stefan Becker, John von Düffel

Bildtexte: Anette Ziethen

Übersetzungen: Englisch: Edith Szép / Spanisch: José Garcia
Chinesisch: FRANK Satz & Technik / Italienisch: Claudio Celani Französische: France Varry

Lithografie: Ziethen-Medien GmbH & Co KG, Köln
www.ziethen.de

Produktion: ZIETHEN-PANORAMA VERLAG

Printed in Germany

Hardcover Ausgabe D/E/Chin – ISBN 3-934328-91-1
Hardcover Ausgabe Sp/Ital/F – ISBN 3-934328-90-3
Softcover Ausgabe D/E/Sp   – ISBN 3-934328-26-1

BILDNACHWEIS / table of illustrations / 图片来源:

Fotografen:	Seiten:
Horst Ziethen	14, 15, 19 (4), 20, 22, 24 a, 26, 27, 28 (2), 34, 38/39, 43, 45, 47
Das Luftbildarchiv	10, 11, 18, 41, 42, 44, 46, 49, 54, 56, 59, 60, 61, 63, 66, 68, 70
Schapowalow / Huber	12, 32 u. Rücktitel, 37, 53, 57, 62, 64, 67, 69
HB-Verlag / Mike Schröder	Titel, 21, 35, 36, 40, 48
Achim Sperber	31, 52, 71
Schapowalow / Waldkirch	9, 58

BA Elbe & Flut: 13; Altonaer Museum Hamburg, Norddeutsches Landesmuseum: 16;
AKG Photo, Berlin: 17; Musical-Theater „König der Löwen": 23; Musical-Theater Neue Flora: 24 b;
Bilderberg / Wolfgang Kunz: 25; Hinrich Franck: 29 a; Foto - Tänzerin im Dollhaus von Julia Knop: 29 b;
Strussfoto/Werner Struß: 30; Bilderberg / Hans-Jürgen Burkard: 33; Schapowalow / Cora: 50;
Michael Penner: 51; Schapowalow / Harten: 55; Schapowalow / Pratt-Pries: 65;
Bilderberg / Michael Engler: 72

City-Karte auf den Vorsatzseiten:
„Der Stadtplan" – Hamburg Tourismus GmbH - Karthografie: Neide

Karten auf den Nachsatzseiten:
© MairDumont – Umlandkarte Hamburg - Ausschnitt aus der „Falk Bundesländerkarte" und
Ausschnitt aus der MGV EuroKarte Deutschland